Einaudi. Stile

Dello stesso autore nel catalogo Einaudi

Cocaina (con M. Carlotto e G. De Cataldo)
Una mutevole verità
La regola dell'equilibrio

Gianrico Carofiglio

Passeggeri notturni

Einaudi

www.einaudi.it

ISBN 978-88-06-22934-4

Passeggeri notturni

Lo scrittore è un uomo che piú di chiunque altro ha difficoltà a scrivere.

THOMAS MANN

Quarto potere

Alle medie veniva in classe con me un tizio di nome Cannata. A tredici anni giocava a pallanuoto, pesava già sessanta chili, ed era *cattivo*. Picchiava come un adulto – pugni, calci, testate – senza i freni inibitori che i ragazzini hanno ancora a quell'età. Nessuno, in tutta la scuola, aveva voglia di litigare con lui.

Un giorno – eravamo in palestra e aspettavamo il professore di educazione fisica – decise di prendersela con uno che era arrivato in classe nostra solo quell'anno: si chiamava Gabriele, aveva la faccia rotonda, un po' alla Charlie Brown, portava gli occhiali, andava molto bene in matematica e se ne stava sempre per i fatti suoi.

Cannata lo prese alle spalle, lo buttò faccia a terra e lo immobilizzò.

– Adesso ti inculo, ricchioncello, – disse montandogli addosso e mimando un rapporto sessuale, con tanto di respiro affannoso e grugniti. Era una scena molto spiacevole.

– Dài Cannata, smettila, – dissi tirandolo per una spalla. Lui non gradí l'interruzione.

– Abbiamo un altro ricchioncello, qui, – disse. Si alzò, mi afferrò per un orecchio e me lo torse facendomi un male pazzesco. In quel momento entrò il professore. – Ci vediamo dopo, faccia di merda, – sussurrò, subito prima di allontanarsi.

Alla fine dell'ora di educazione fisica, mentre risalivamo in classe, Gabriele mi si avvicinò.

– Grazie, – disse, – ma adesso ti sei messo in un casino –. Poi, in tono serio, aggiunse: – Andiamo in biblioteca, ci serve un'arma.

Un'arma in biblioteca? Pensai che fosse pazzo e – come avrei fatto molte volte negli anni a venire – mi chiesi per quale motivo non mi fossi fatto gli affari miei.

In biblioteca Gabriele, muovendosi con la disinvoltura di chi conosce i luoghi alla perfezione, si diresse verso la pila dei vecchi quotidiani e ne prese uno senza che il bidello semiaddormentato facesse caso a lui. Dopodiché ci trasferimmo nella sala di lettura, deserta come quasi sempre. Gabriele distese il giornale su un tavolo e lo arrotolò con precisione meticolosa fino a trasformarlo in un tubo che, con altrettanta cura, piegò in due. Quando me lo porse, invitandomi a provarne la consistenza, mi resi conto che era diventato un bastone, duro come il legno e flessibile come uno sfollagente. Un'arma, appunto.

– Lo stronzo ti aspetterà fuori, subito dopo la scalinata. Si piazza sempre lí, l'ho osservato altre volte che ha picchiato qualcuno. A me non farà caso. Lascia che ti afferri, poi ci penso io –. Aveva un'espressione adulta e tranquilla, quella di un professionista che si accinge a eseguire un lavoro per cui è perfettamente addestrato. Io morivo di paura.

Come previsto da Gabriele, alla fine delle lezioni Cannata mi aspettò sotto la scalinata e venne verso di me con un sorriso da caimano.

Mi aveva appena preso per il giubbotto, e forse stava dicendo qualcosa prima di cominciare a darmele, quando Gabriele, con un movimento a frusta di una velocità imprevedibile, lo centrò in faccia con il giornale-bastone. Cannata mi lasciò, ma prima che potesse accennare una qualsiasi difesa Gabriele lo colpí di nuovo, due, tre volte, in modo secco, come se si fosse allenato a lungo proprio per quell'azione e quell'occasione. Cannata cominciò a perdere sangue dal naso e cadde in ginocchio, appoggiandosi al muro per non stramazzare a terra. Gabriele lo colpí ancora un paio di volte sulla testa. Con meno forza, adesso. Per chiudere la faccenda.

– Se fai ancora lo stronzo ti uccido, – gli disse infine, senza alzare la voce ma in modo che tutti – in tanti avevano assistito alla scena – sentissero.

Non sembrò una frase detta cosí per dire.

Ripose il giornale nello zaino, con calma, e ce ne andammo insieme.

Draghi

Tempo fa, in aeroporto, ho incontrato una vecchia amica. Viviamo in città diverse e non ci vedevamo davvero da tanto. Cosí abbiamo deciso di prendere un caffè e di scambiarci qualche informazione su quello che ci era accaduto nell'ultimo decennio.

Alcuni anni prima lei aveva conosciuto un tizio, se ne era innamorata e nel giro di nove, dieci mesi si erano sposati. Lui era simpatico, intelligente, pieno di attenzioni; quasi troppo bello per essere vero.

Infatti non era vero. Dopo il matrimonio si era tramutato come il dottor Jekyll in mister Hyde. Aveva smesso di essere gentile; era diventato ossessivo, geloso e violento, aveva cominciato a offenderla e umiliarla in presenza di amici ed estranei. La vita si era trasformata in un incubo, ma lei non riusciva a trovare la forza per tirarsi fuori da quel matrimonio.

Un giorno una collega le raccontò una storia accaduta, a quanto pareva, a una conoscente di sua cugina.

Questa ragazza doveva sposarsi. Sbrigati i soliti preparativi, una mattina di maggio ogni cosa era pronta. Gli invitati, i testimoni, il sacerdote e lo sposo erano in chiesa e la aspettavano, secondo la consuetudine. Quando lei arrivò chiese di dire qualche parola, prima che la cerimonia cominciasse. Era una richiesta un po' inusuale, ma nessuno fece obiezioni.

– Ho chiesto di parlare in primo luogo per ringraziare i miei genitori. Per tutto quello che hanno fatto per me fino a oggi. Mi sono stati vicini quando era necessario e mi hanno lasciata andare quando era giusto. Capire il momento di fare l'una e l'altra cosa non è facile. Ci vogliono cuore e intelligenza. Grazie, mamma. Grazie, papà. Spero di non deludervi mai.

I genitori sorrisero. Lei riprese rivolgendosi agli invitati.

– Grazie a voi per essere qui. Spero che, nonostante tutto, avrete un buon ricordo di questa cerimonia.

Ci fu un leggero brusio. Qualcuno tossí. Lo sposo aveva una strana espressione.

– E adesso voglio ringraziare il mio fidanzato e la mia migliore amica, che è anche la mia testimone di nozze. Grazie a entrambi per avermi accompagnata, insieme, fino al passo che sto per fare.

Nella chiesa l'imbarazzo era palpabile.

– Grazie in particolare per avere passato insieme la scorsa notte. E tante altre, negli ultimi mesi, sempre nello stesso albergo. Vi auguro molta felicità. Peccato che tu sia già sposata, ma sono sicura che troverete una soluzione, con tuo marito. In ogni caso credo che queste informazioni gli sembreranno interessanti.

Poi uscí dalla chiesa nel silenzio generale e scomparve a bordo di un'auto che la stava aspettando con il motore acceso.

La mia amica ha fatto una lunga pausa prima di continuare.

– Questa storia mi impressionò moltissimo. Mi dissi che se lei era stata capace di fare quello che aveva fatto, io dovevo essere capace di tirarmi fuori dalla trappola in cui ero finita. È stata dura, ma due settimane dopo ero libera.

Io l'ho guardata un po' in imbarazzo. C'era una cosa che non sapevo se dirle. Lei mi ha letto nel pensiero.

– La conoscevi già questa storia, vero?

Ho annuito e lei ha sorriso.

– Qualche tempo dopo la separazione, leggendo un libro, ho scoperto che una storia del genere esiste, quasi uguale, in decine di versioni, in decine di città. All'inizio ci sono rimasta male. Quella donna era diventata il mio mito personale e adesso scoprivo che era il personaggio di una storia inventata. Poi ho deciso che non me ne importava niente. Per me la storia era vera e lei era vera. Forse tu riesci a capirmi.

– Conosci uno scrittore di nome Chesterton? – le ho chiesto.

– Non l'ho mai letto, perché?

– Chesterton diceva che le fiabe non servono a spiegare ai bambini che i draghi esistono. Questo i bambini lo sanno già.

– E a che servono? – mi ha chiesto lei.

– Le fiabe servono a spiegare ai bambini che i draghi possono essere sconfitti.

Aria del tempo

Inaugurazione di una galleria d'arte. Le opere sono scadenti, il rinfresco peggiore – prosecco caldo e cibo gelato – ma la conferenza scelta per accompagnare l'evento è di quelle che rimangono impresse. Il titolo è «Colori ed essenze»; parla una signora che fa la creatrice di profumi – *nasi* vengono chiamati in gergo quelli che fanno il suo mestiere.

– La memoria olfattiva è tenacissima, la piú potente di tutte. Se senti ora un odore di trent'anni fa, rivivi la situazione in cui lo hai percepito (o lo percepivi, se era un odore abituale) come se fossero trascorsi trenta minuti. L'olfatto però è un senso contraddittorio. Possiede questa potenza evocativa, ci permette di tornare in un attimo a storie del nostro passato remoto, ma, se ci fate caso, noi non disponiamo di parole dirette per chiamare gli odori. Per nominarli siamo costretti alle figure retoriche o alle perifrasi: odore di erba tagliata; odore di terra prima della pioggia; puzza di uova marce e via discorrendo.

– Spesso poi non si pensa a quanto sia rara la capacità di immaginare o di sognare un odore, cioè di sentirlo in sua assenza. Soprattutto se paragoniamo questo ostacolo alla facilità con cui rievochiamo i ricordi visivi e sonori. Quasi nessuno riesce a *immaginare* un odore. E anche nei pochi casi in cui qualcuno afferma di riuscirci, non si può escludere che stia confondendo una presunta esperienza olfattiva con i ricordi prodotti da altri sensi.

– Eppure immaginare gli odori è una cosa che si può apprendere. Occorre innanzitutto ricreare nella nostra mente le condizioni in cui li abbiamo percepiti. Ricordarne diversi, in sequenza, senza pensare ma cercando solo di rievocare le situazioni e percepire la loro cornice olfattiva.

Poi ci spiega nei dettagli come fare – bisogna cominciare dagli odori forti, anche sgradevoli, e lasciare che i ricordi piacevoli arrivino spontaneamente – e io mi incuriosisco a tal punto che alla fine del vernissage vado a casa e decido di provare.

Mi siedo in poltrona, socchiudo gli occhi e comincio.

Varechina e le pulizie a casa dei nonni. I vestiti non troppo puliti di un contadino che veniva a portarci le uova in campagna. La signora Lorusso che abitava nel nostro condominio e che lasciava nell'ascensore un odore come di pasta e fagioli. L'odore delle suore e del refettorio della mia scuola elementare. L'odore stantio di naftalina nella casa di un compagno di classe. L'odore opprimente della sacrestia. Le fialette puzzolenti che tiravamo nei negozi per poi scappare via velocissimi. I jeans sporchi di un ragazzo con cui avevo fatto a botte ai giardini di piazza Garibaldi e il sapore ferroso del sangue in bocca. L'acquaragia che usava mio padre per pulire i pennelli dopo aver dipinto. Cera pongo. Pastelli. Coccoina e Vinavil. Zucchero filato, cornetti e krapfen. Il negozio di giocattoli e dolciumi Scarpellino: la plastica, il cartone, la polvere.

Le pagine del sussidiario il primo giorno di scuola.

La sigaretta e il dopobarba di mio zio.

Quest'ultimo – erano due ma era un odore solo, inconfondibile – per qualche istante mi sembra davvero di avvertirlo; la cosa mi turba e continuo in preda a un'improvvisa esaltazione e a una strana inquietudine.

Il talco Felce Azzurra Paglieri. Il caffè in chicchi e il macinino della nonna. La passata di pomodori. La pasta al forno. La grafite e le copie eliografiche dello studio di papà.

La focaccia del panificio San Rocco. Le merendine con la glassa di zucchero appena sfornate alla Fiera del Levante.

D'un tratto si apre uno squarcio nel tempo e sento – *sento* davvero, da farmi scoppiare il cuore – il profumo del freddo e della giacca di pelle di mamma appena tornata a casa da scuola. La sua faccia è liscia e giovane. Ha i capelli scuri, è bella e seria e un po' malinconica. Ho gli occhi sempre chiusi, ma vedo e sento tutto e l'aria dentro di me è tersa.

Per un tempo brevissimo e infinito mia madre e io siamo lí, insieme.

Calligrafia

Sapete cos'è l'«effetto alone»? Non è il titolo di un seminario per venditori di detersivi. È una categoria sociologica che si può descrivere cosí: se una persona ha una qualità positiva molto evidente, questa influenza il modo in cui la persona è percepita dal prossimo.

Per esempio i belli vengono di regola considerati anche intelligenti, sensibili e spiritosi. La questione non è accademica, e soprattutto non è innocua. Numerose ricerche hanno accertato che in un processo l'imputato viene giudicato in modo piú favorevole se è attraente. I belli vengono assolti molto piú facilmente e, se condannati, ricevono pene piú miti.

L'effetto alone non riguarda solo l'aspetto delle persone. Anni fa un gruppo di psicologi realizzò un esperimento: gli stessi compiti di esame furono scritti in doppia copia e consegnati a due gruppi di esaminatori. La prima copia era in bella grafia, la seconda no. La media dei voti assegnati ai compiti in bella grafia fu molto piú alta rispetto a quella dei voti assegnati ai compiti scritti con una grafia poco elegante o sciatta, questo anche se a tutti gli esaminatori era stato raccomandato di non tenerne conto e di concentrarsi solo sul contenuto degli elaborati.

Un altro esperimento ha avuto esiti ancora piú preoccupanti. Gli stessi temi furono presentati con firme maschili a un primo gruppo di esaminatori e con firme femminili a un secondo gruppo. Gli elaborati con firme maschili ottennero sempre voti piú alti.

Un altro esperimento ancora ha dimostrato come persino gli scienziati, che in teoria dovrebbero essere piú immuni dai condizionamenti emotivi, siano soggetti quanto noi tutti all'effetto alone. Alcuni articoli scritti da importanti ricercatori e pubblicati da prestigiose riviste scientifiche furono copiati, con leggere modifiche, e inviati di nuovo alle stesse riviste con nomi di ricercatori sconosciuti. Gli articoli erano gli stessi, le riviste erano le stesse, però gli articoli, nella stragrande maggioranza, furono respinti. Non perché qualcuno si fosse accorto che erano già stati pubblicati, ma perché furono considerati scientificamente mediocri.

Un esempio incredibile viene dal mondo dell'editoria. Nel 1969 il romanzo *Steps* di Jerzy Kosinski – rispettato scrittore americano di origine polacca – vinse uno dei piú importanti premi letterari americani e ricevette grandi elogi dalla critica. Otto anni piú tardi un tizio in vena di scherzi ricopiò a macchina il romanzo e spedí il manoscritto – come fosse un inedito, con un titolo diverso e sotto un nome falso – ad alcune delle piú importanti agenzie letterarie americane e a quattordici case editrici, inclusa quella che a suo tempo aveva dato alle stampe l'originale. Nessuno si accorse dell'inganno e tutti respinsero il manoscritto giudicandolo inadatto alla pubblicazione.

Di recente, in Italia, una scrittrice si è voluta divertire mettendo in piedi un'analoga burla. Si è rivolta a una sedicente agenzia letteraria che offre – a pagamento – l'editing, cioè la revisione, di romanzi e racconti. Ha pagato la somma richiesta e ha inviato un racconto che, qualche tempo dopo, le è stato restituito con annotazioni critiche, correzioni, modifiche. Il giudizio complessivo non era favorevole: il testo era descritto come acerbo, poco letterario, carente di stile. Peccato che si trattasse di un racconto piuttosto famoso e celebrato di Dino Buzzati.

Notizie non rassicuranti per i non belli, per quelli con una cattiva grafia, per le donne, per i ricercatori sconosciuti e per gli aspiranti scrittori in cerca di un editore. A questi ultimi conviene ricordare l'insegnamento di Somerset Maugham. Lo scrittore inglese era solito dire che ci sono tre regole infallibili cui attenersi per scrivere un romanzo di grande successo.

Sfortunatamente – aggiungeva – nessuno sa quali siano.

Articolo 29

Esterno notte. Terrazza romana. Politici, giornalisti, scrittori, gente di cinema e di televisione. Si chiacchiera del piú e del meno fino a quando la conversazione non cade sulla sentenza della Corte Suprema americana che, qualche giorno prima, ha riconosciuto il diritto ai matrimoni fra persone dello stesso sesso. All'inizio c'è un giro di opinioni, ma in breve si ritrovano a parlare in due: una bella signora sui quaranta e un parlamentare noto per la frequentazione piuttosto assidua – pare – di ragazze mercenarie.

– Sia chiaro, io non ho niente contro gli omosessuali, ma per la nostra Costituzione il matrimonio è solo quello fra persone di sesso diverso, – dice il politico.

– Di preciso, quale norma della Costituzione? – chiede la donna.

– Adesso non ricordo esattamente l'articolo…

– L'articolo della Costituzione che parla della famiglia è il 29. Si riferisce a questo?

– Ecco, appunto.

– Il caso vuole che lo sappia a memoria: «La Repubblica riconosce i diritti della famiglia come società naturale fondata sul matrimonio». Mi sfugge però il riferimento al sesso diverso come condizione per il matrimonio.

– Dice: «società naturale».

– E dunque?

– Insomma, l'omosessualità non è mica naturale.

– Mi dispiace doverla contraddire ma comportamenti omosessuali sono diffusi fra i cani, i gatti, i cigni, i gabbiani, le anatre, i pinguini, i delfini, i leoni, gli elefanti e molte altre specie. In ogni caso, mi lasci seguire il suo ragionamento: fra le cose naturali ci sono il cancro, la peste, la tubercolosi, i terremoti. Invece non sono naturali: l'aspirina, gli antibiotici, le cure contro il cancro, i defibrillatori, i computer, le automobili, gli aerei, gli occhiali. Teniamo le prime e buttiamo via le seconde?

– Ma che c'entra, «naturale» perché il matrimonio serve alla procreazione. Per questo deve essere consentito solo a persone di sesso diverso.

– Ah, ecco. Dunque una coppia – dico uomo e donna – sterile o una coppia di anziani non possono sposarsi?

– Che vuol dire...

– Quello che ho detto: due anziani possono sposarsi?

– Il matrimonio fra uomini e donne corrisponde alla tradizione.

– Quindi la procreazione non c'entra. Il valore è nella tradizione in quanto tale?

– Be'...

– Glielo chiedo perché fra le cose tradizionali – in altre culture, certo – ci sono il cannibalismo, il suicidio rituale, il rogo delle vedove, l'infibulazione. La tradizione, e la legge fino al 1975, in Italia dicevano che la moglie doveva obbedire al marito, tanto per dire.

– Va bene, ma non capisco per quale motivo due omosessuali dovrebbero volersi sposare. Chi gli vieta di stare insieme, di fare quello che vogliono? I diritti sono già riconosciuti dal codice civile.

– Lei dice? Se due donne stanno insieme e una ha un incidente e perde conoscenza, l'altra può prendere decisioni sulla compagna malata? No. Se una delle due muore, l'altra riceve la pensione di reversibilità? No. Posso andare avanti parecchio, se vuole. Lei non capisce, ha detto, e ne prendo atto, è un problema suo. Ma questo non dovrebbe tradursi in un'interferenza nella libertà delle scelte personali, se non comportano danni per altri. Se gli omosessuali potessero sposarsi, la cosa avrebbe interferenze con la sua libertà individuale, danneggerebbe qualcuno?

– Ammettere i matrimoni omosessuali sarebbe la fine della famiglia tradizionale.

– Perché?

– Aumenterebbe l'omosessualità.

– Interessante. Degli etero scoprono che è possibile sposare persone dello stesso sesso e si dicono: «Accipicchia, a questo punto, quasi quasi, divento gay». Pensa che potrebbe accadere anche a lei?

Risatine nemmeno tanto trattenute tutto intorno. La padrona di casa sembra in lieve imbarazzo. Il parlamentare sembra in *grande* imbarazzo. Vicino a me c'è un noto conduttore televisivo che ha palesemente bevuto qualche bicchiere di troppo.

– Brava, però. E anche una gran figa. A me le lesbiche mi eccitano un casino, – dice, rivolgendosi a un tizio alla sua sinistra.

– Brava, sí. E anche una gran figa. Però non credo sia lesbica, – risponde l'altro.

– E come lo sai? – chiede il conduttore ubriaco.

– È mia moglie.

Un addio

Per molti anni ho preso il treno di notte fra Bari e Bologna un paio di volte al mese. Quasi sempre le cuccette erano tutte occupate e quasi sempre i compagni di viaggio non erano né gradevoli né silenziosi. Nel migliore dei casi russavano. Nel migliore.

Quella notte di febbraio, però, lo scompartimento era vuoto. Mi sistemai al mio posto al terzo piano e mi preparavo a godermi un sonno indisturbato quando, qualche istante prima che il treno partisse, la porta si aprí. Non potevo essere cosí fortunato, mi dissi mentre mi sporgevo un po' per capire chi fosse il nuovo arrivato.

Una donna, che senza dire nulla si buttò sulla cuccetta due piani sotto di me.

Meglio di un grassone col naso chiuso, pensai. Anche se nessuno mi garantiva che il naso chiuso non ce l'avesse pure lei, conclusi mettendomi a leggere. Come d'abitudine, poco dopo mi assopii.

Forse un'ora piú tardi – eravamo fermi in qualche stazione sull'Adriatico e dalle fessure degli scuri si intuivano le luci gialle e il freddo e l'umidità – mi svegliai e mi accorsi che la donna stava parlando. Pareva rivolgersi a una persona dentro lo scompartimento. Mi sollevai sui gomiti e mi guardai attorno nell'oscurità. Controllai anche la cuccetta subito sotto di me, caso mai qualcun altro fosse salito a bordo mentre dormivo. C'eravamo solo la donna e io.

Stava raccontando di piccoli paesi silenziosi visitati chissà quando, di pomeriggi d'estate passati a giocare ai cinque sassi, come bambini di un altro mondo, del profumo di ginepro una mattina di aprile. E interrogava qualcuno che non c'era.

– Amore mio, amore mio bellissimo, mio uomo bellissimo. Perché mi hai lasciato sola, amore mio? Come faccio a vivere tutta la vita senza di te?

Non avrei dovuto ascoltare – pensai – ma non c'era modo di evitarlo. Il treno ripartí e riprese il suo sferragliare ritmico, a tratti rabbioso. La voce della donna si sentiva ancora, ma io non riuscivo piú a distinguere le parole. A un certo punto le frasi si tramutarono in pianto, poi in singhiozzi soffocati che parevano il lamento di un animale ferito. Mi domandai se scendere, dirle qualcosa, offrirle il mio aiuto. Ma lo sapevo bene che non potevo fare nulla per la sua disperazione: ero solo un passeggero nella notte, una sagoma nell'ombra. Cosí rimasi nella mia cuccetta, tirandomi su le lenzuola rigide e la coperta monouso. Dopo un po' lei smise di piangere e io caddi in un dormiveglia agitato e pieno di tristezza. Furono i versi a svegliarmi, anche se non sono certo di averli sentiti allora con la stessa precisione con cui mi pare di ricordarli adesso. La memoria è un congegno strano e ingannevole.

– Vivere è stare svegli, e concedersi agli altri, dare di sé sempre il meglio, e non essere scaltri –. Poi, dopo un minuto: – Tu eri cosí, amore mio. Non sei stato scaltro, amore mio. Non sei stato scaltro, amore mio.

La luce livida di quella mattina di febbraio mi sorprese attraverso i vetri appannati sulla periferia di Bologna. Scesi dalla cuccetta e presi la mia sacca.

La donna sembrava dormisse, abbracciata al cuscino. Ebbi per un attimo l'impulso di farle una carezza sui capelli, ma naturalmente mi trattenni e dieci minuti dopo ero fuori, sul marciapiede, nel freddo.

Allora non esisteva Google e trovare una poesia di cui conoscevi – o credevi di conoscere – solo un frammento non era facile. Provai a chiedere in giro a qualche amico e a qualche amica di buone letture, ma nessuno riconobbe quel verso e io, a poco a poco, abbandonai la ricerca.

Mi sono ricordato di tutto ieri, a casa di amici. Su un tavolino basso era poggiato un libretto bianco: *Poesie. 1952-1978*. L'ho aperto, ho cominciato a sfogliarlo, a leggere distrattamente qualche verso. Poi sono arrivato a pagina 21 e l'ho trovata.

Vivere è stare svegli
e concedersi agli altri,
dare di sé sempre il meglio,
e non essere scaltri.

Vivere è amare la vita
con i suoi funerali e i suoi balli,
trovare favole e miti
nelle vicende piú squallide.

Vivere è attendere il sole
nei giorni di nera tempesta,
schivare le gonfie parole,
vestite con frange di festa.

Vivere è scegliere le umili
melodie senza strepiti e spari,
scendere verso l'autunno
e non stancarsi d'amare.

– Ehi, ci sei? – mi ha detto un'amica seduta vicino a me, toccandomi la spalla. – Dov'eri? – ha aggiunto con un sorriso un po' perplesso.

– Su un treno, tanti anni fa.

Confessioni 1

La convinzione che chiunque confessi un reato ne sia davvero colpevole è diffusa non solo nell'opinione pubblica, ma anche fra gli appartenenti alle forze di polizia e fra i magistrati. Sembra infatti difficile immaginare che una persona confessi un crimine che non ha commesso. In realtà, purtroppo, si tratta di un'eventualità pericolosamente ripetuta.

Nel 1989 cinque adolescenti confessarono di avere picchiato e stuprato una donna che faceva jogging a Central Park, a New York. In seguito ritrattarono la confessione, dichiarando di essere stati indotti a renderla con forme varie di manipolazione psicologica e violenza fisica.

La ritrattazione non fu creduta e solo dopo molti anni di carcere i ragazzi vennero scagionati grazie alla prova del Dna che portò all'identificazione del vero colpevole.

Jorge Hernández fu accusato dello stupro di un'anziana signora. Sottoposto a un duro interrogatorio molti mesi dopo il delitto, sosteneva di non riuscire a ricordare cosa avesse fatto la notte in cui si era verificata la violenza. Gli investigatori gli dissero allora – mentendo – di avere trovato le sue impronte digitali in casa della vittima e addirittura di avere acquisito filmati delle telecamere di sorveglianza da cui risultava con chiarezza che lui era stato in quel luogo quella notte. Di fronte all'esibizione di queste false prove e di fronte all'offerta di sconti di pena se avesse confessato, Hernández si persuase di non riuscire a ricordare l'accaduto perché, con ogni probabilità, quella notte era ubriaco. Si lasciò cosí convincere ad ammettere un fatto che non aveva commesso. Qualche mese dopo una perizia tecnica stabilí che il suo Dna era incompatibile con quello trovato sulla scena del crimine e lui fu scagionato.

Eddie Lowery confessò l'omicidio di una donna di settantacinque anni fornendo particolari che poteva conoscere solo l'autore del crimine. I test del Dna dimostrarono, molti anni dopo, che il colpevole non era Lowery e che quei particolari erano stati in realtà suggeriti – imbeccati, si dovrebbe dire – dagli stessi ufficiali di polizia che avevano condotto l'interrogatorio

Dal 1976 a oggi, negli Stati Uniti si contano almeno quaranta rei confessi poi scagionati dal test del Dna. Il fenomeno delle false confessioni non è però solo americano.

Fra gli anni Ottanta e gli anni Novanta un gruppo di spietati criminali chiamati «la banda della Uno bianca» terrorizzò l'Emilia Romagna, commettendo un numero enorme di rapine e omicidi. Nel 1994 i componenti della banda furono infine catturati e confessarono i loro delitti, fra cui una serie di rapine per le quali non erano nemmeno sospettati. Per alcune di queste erano stati condannati dei ragazzi, anche a seguito della confessione resa da uno di loro: la confessione di un crimine che non aveva commesso. È probabile che pure in quel caso fossero state messe in atto forme piú o meno intense di coercizione psicologica.

Il problema, dunque, è che le violenze sui sospettati o sui testimoni reticenti non sono solo illegali e immorali, sono anche pericolose per l'accertamento della verità. A parte ogni considerazione etica e giuridica, una confessione ottenuta con la violenza non dà nessuna garanzia di attendibilità.

Tanti anni fa un vecchio poliziotto da cui ho imparato molto su cosa significa fare l'investigatore mi disse una frase che non ho piú dimenticato: «Io non mi fido mai di una confessione cui non ho assistito. E, a dire la verità, non mi fido nemmeno di quelle cui ho assistito, se non so esattamente cosa è successo prima».

Confessioni 2

Il metodo corretto e piú efficace per interrogare un sospettato e cercare di ottenere una sua confessione è tutto il contrario della violenza fisica o morale. Esso si compone in sostanza di quattro passaggi.

In primo luogo è necessario istituire un rapporto fra l'investigatore e il sospettato; bisogna creare un piano di comunicazione in cui i ruoli rimangano distinti ma che produca una condizione di reciproco rispetto. Questa prima fase riduce la tensione e apre la possibilità di un dialogo.

In secondo luogo è necessario che l'investigatore faccia percepire all'indagato di capire le sue azioni, naturalmente senza giustificarle. Di comprendere il contesto che ha determinato il suo gesto criminale, spingendosi talvolta a dire che molti, in condizioni analoghe, avrebbero potuto comportarsi come lui. Questo passaggio serve a collocare il fatto in un quadro di tollerabilità psicologica – attenua l'ansia dell'interrogato – e a distinguere fra la persona dell'indagato (verso la quale l'investigatore mostra disponibilità all'ascolto) e la sequenza di accadimenti che hanno portato a un epilogo tragico.

La terza fase, delicatissima dal punto di vista pratico ed etico, consiste nella cosiddetta proiezione delle responsabilità. Se è possibile, bisogna spostare psicologicamente parte della responsabilità su un'entità esterna all'indagato – l'ambiente sociale, la famiglia, una situazione difficile, una provocazione della vittima. Ciò serve a ridurre il peso della colpa e a introdurre il tema delle eventuali attenuanti. La proiezione è fondamentale per superare le resistenze del sospettato, ma è il momento piú pericoloso dal punto di vista etico, perché comporta il rischio di giustificare il reato. Dunque occorre essere ancora molto chiari sul fatto che non si sta legittimando l'accaduto, ma solo tentando di collocarlo nel suo contesto, per comprenderlo adeguatamente.

In questa, come nelle altre fasi, la scelta delle parole è fondamentale. È indispensabile usare espressioni il piú possibile neutre dal punto di vista emotivo. Per intenderci, non si devono adoperare parole come stupro, omicidio, morto, delitto e simili, ma espressioni come fatto, incidente, episodio. Le espressioni cariche dal punto di vista emozionale (come, appunto, stupro, omicidio, morto, delitto) riportano il soggetto alla gravità del suo comportamento, evocano conseguenze indistinte e paurose, riducono le possibilità di una confessione.

La parole giuste sono importanti, in questo e altri contesti, piú di quanto si possa immaginare. Come ha scritto un linguista francese, Brice Parain, detto non a caso lo Sherlock Holmes del linguaggio, le parole sono pistole cariche.

Il quarto passaggio del metodo consiste nell'offrire onesti incentivi alla confessione. Non bisogna certo fare promesse che non è possibile mantenere, come prospettare un'assoluzione, una pena minima o un'immediata scarcerazione; occorre però far capire con chiarezza che una confessione sincera ed esauriente, da cui sia possibile ricostruire cosa è effettivamente accaduto, può garantire molti benefici, attenuanti generiche e riduzioni di pena.

L'investigatore – poliziotto, carabiniere o pubblico ministero – in grado di fare tutto questo con efficacia è assai diverso da certi stereotipi cinematografici, televisivi o giornalistici. È una persona in grado di vedere le cose da piú punti di vista, di notare i dettagli e percepire le sfumature, poco incline ai giudizi sommari e soprattutto munito di una dote fondamentale (non solo nelle indagini): la capacità di nutrire dubbi e, in ogni momento, di mettere in discussione con intelligenza le proprie certezze.

Il biglietto

Casimer accompagna le ragazze dall'appartamento in cui vengono tenute prigioniere al luogo in cui devono prostituirsi. Viaggiano in treno, è piú sicuro. Se stai guidando un furgone con sei o sette puttane e la polizia ti ferma, sei nei casini. In treno invece non corri rischi. Le sorvegli, ma se arrivano gli sbirri fai finta di non conoscerle. Sei lí per caso e le recuperi quando il controllo finisce.

A Casimer piace il suo lavoro. E la parte che gli piace di piú è quando qualcuna cerca di scappare e bisogna andare a riprenderla e farle capire che non deve riprovarci. Farlo capire a lei e alle altre. A volte Casimer usa le mani, a volte il rasoio, altre volte ancora l'acido.

A Casimer piace la loro faccia terrorizzata. Gli piace quando lo implorano di non farlo. Gli piace l'odore che emanano in quei momenti. A volte addirittura si pisciano addosso. Questo senso di potere assoluto è meglio di una scopata, è meglio della coca, è meglio di tutto.

Casimer dice che il treno è il suo ufficio. Quando viaggia verso casa, dopo aver riaccompagnato le ragazze, si fa una dormita veloce. Non piú di mezz'ora e lui si sveglia sempre due o tre minuti prima che il treno entri in stazione.

Anche stavolta si sveglia e si avvia verso le porte attraversando il vagone deserto. Guarda fuori e pensa che, strano, deve essersi svegliato in anticipo, perché ancora non si vedono le luci della periferia. Dunque aspetta, ma passano almeno dieci minuti e il treno continua a viaggiare veloce nel buio.

Casimer mette una mano in tasca per prendere il cellulare e vedere che ora è, ma non lo trova. Prova a pensare dove potrebbe averlo perso, solo che non riesce a ricordare cosa ha fatto subito prima di salire sul treno. In realtà, avvertendo un principio di panico, si rende conto di non ricordare nemmeno a quale stazione è salito. Forse per il futuro sarà bene andarci piano con la coca. Comunque ora stai calmo, si dice. Cerca qualcuno su questo maledetto treno e fatti dire che ora è e dove siamo.

Cosí passa nell'altro vagone e lo percorre tutto. Non c'è nessuno. Dà i brividi questo cazzo di treno, e poi va sempre piú veloce, e questa cazzo di campagna è sempre piú buia.

Finalmente, entrando nel quarto, o forse nel quinto o nel sesto vagone, Casimer vede un controllore che cammina rapido. Che strano, ha i capelli lunghi. Lunghissimi. Mai visto un controllore con i capelli tanto lunghi.

– Ehi, – grida Casimer, ma quello non sente e passa – *scompare* – nell'intercomunicante. Casimer lo segue, accelerando, quasi di corsa. Quando arriva nell'altra carrozza, però, non vede nessuno; le luci sono basse, anzi è buio. Adesso il panico si fa piú difficile da controllare. Solo alla fine del corridoio si accorge di una persona seduta accanto a un finestrino. Sembra assopita e a Casimer ci vuole qualche istante per rendersi conto che è il controllore.

– Benvenuto, – gli dice quello senza voltarsi.

Che cazzo vuol dire *benvenuto*? Mai sentito un controllore che dice benvenuto. Il controllore chiede il biglietto e basta. Ah, certo, il biglietto. Casimer si fruga nelle tasche. L'altro rimane seduto, appoggiato al finestrino, la faccia rivolta verso l'oscurità di fuori.

– Non trovo... non trovo il biglietto, – balbetta Casimer.

– Non c'è bisogno del biglietto, – risponde il controllore. Poi si volta e un bagliore improvviso, dall'esterno, gli illumina il viso.

Casimer si accorge che è una donna. Ha la faccia scavata, gli occhi infossati, le guance sfregiate.

– Qual è la prossima fermata?

– Non c'è nessuna fermata.

– Che cazzo dici?

– Non hai capito dove sei? Questo è l'inferno, Casimer.

Casimer scappa via con un grido che gli si strozza nella gola. Arriva nell'altro vagone. Anche questo è deserto.

In fondo c'è un controllore, nell'ombra, con i capelli molto lunghi.

Tahiti

Ipocognizione è vocabolo difficile, poco usato ma piuttosto importante. Indica la situazione di chi non possiede le parole – e dunque i concetti, i modelli di interpretazione della realtà – di cui ha bisogno per gestire la propria vita interiore e i rapporti con gli altri.

Il concetto di ipocognizione deriva da uno studio condotto a Tahiti negli anni Cinquanta da Robert Levy, antropologo e psicoterapeuta. Nel tentativo di individuare la ragione dell'altissimo numero di suicidi registrati a Tahiti, Levy scoprí che i tahitiani non avevano le parole per indicare il dolore, al di fuori di quello fisico. Non avevano le parole per indicare la sofferenza spirituale. Naturalmente la conoscevano e la provavano, ma non avevano per essa un concetto e un nome. Dunque non erano in grado di identificarla. Non erano in grado di nominare, e quindi di elaborare, la fragilità, la tristezza, l'angoscia. La conseguenza di questa incapacità, nei casi di sofferenze intense, e per loro incomprensibili, era spesso il drammatico cortocircuito che portava al suicidio.

Racconto spesso questo impressionante aneddoto scientifico perché mi sembra faccia comprendere, molto piú di un lungo discorso, quale sia l'importanza pratica – direi quasi materiale – delle parole. Queste infatti – le parole che usiamo, che sentiamo, che leggiamo – hanno un effetto sostanziale e profondo sulla nostra percezione prima ancora che sulla nostra rappresentazione della realtà.

Immaginiamo di avere fatto un'esperienza spiacevole – un litigio, un incidente stradale, un insuccesso professionale – e pensiamo ai vari modi in cui potremmo descrivere lo stato d'animo che ne è derivato. Se dicessimo di essere *pazzi di rabbia* sentiremmo tensione al collo e alle mascelle, stringeremmo i pugni, saremmo pronti a gesti scomposti. Se dicessimo di essere *arrabbiati* avvertiremmo tensione emotiva ma saremmo in grado di dominarci e di evitare azioni di cui potremmo in seguito pentirci. Se dicessimo semplicemente di essere *seccati* saremmo pronti a reagire in modo razionale all'infortunio, scegliendo le soluzioni piú adeguate. Soprattutto saremmo pronti a uscire presto dall'esperienza negativa per tornare a una situazione di benessere emotivo.

Le parole che utilizziamo possono avere un impatto straordinario non solo sulle nostre vite individuali, ma anche su quelle collettive. Le parole creano la realtà, fanno – e disfano – le cose; sono spesso *atti* di cui bisogna prevedere e fronteggiare le conseguenze, in molti ambiti privati e pubblici.

La buona politica è anche – forse soprattutto – dare il nome giusto alle cose.

Lo aveva già capito, piú o meno duemilacinquecento anni fa, un signore di nome Confucio. Si racconta che un giorno un giovane discepolo gli fece questa domanda: «Maestro, se vi fosse affidato un regno da governare secondo i vostri principî, che fareste per prima cosa?» Confucio rispose: «Per prima cosa rettificherei i nomi». A questa risposta il discepolo rimase molto perplesso: «Rettificare i nomi? Con tante cose gravi e urgenti che toccano a un governante voi vorreste sprecare il vostro tempo con una sciocchezza del genere? È uno scherzo?» Confucio dovette spiegare: «Se i nomi non sono corretti, cioè se non corrispondono alla realtà, il linguaggio è privo di oggetto. Se il linguaggio è privo di oggetto, agire diventa complicato, tutte le faccende umane vanno a rotoli e gestirle diventa impossibile e senza senso. Per questo il primo compito di un vero uomo di Stato è rettificare i nomi».

Pezzi grossi

Mi aggiro tra gli scaffali di una grande libreria del centro di Roma quando mi sento chiamare. Mi volto e vedo un signore sorridente, fra i settanta e gli ottanta, in ottima forma. Un viso noto: uno dei protagonisti della prima Repubblica e poi della cosiddetta Tangentopoli, non proprio dalla parte di investigatori e pubblici ministeri. Per fugare ogni dubbio lui si presenta e mi porge la mano. Mentre gliela stringo – ha una bella presa, decisa ma non aggressiva – mi guardo attorno per controllare se qualcuno si è accorto di noi e ci guarda. Nessuno però fa caso alla scena.

– C'è una cosa nel suo ultimo romanzo che mi ha colpito molto, – dice lui senza preamboli, come se fosse stato lí ad aspettarmi, per dirmi proprio questo.

– Cosa?

– La comprensione della psicologia della corruzione. È rappresentata in modo cosí credibile che viene da chiedersi se l'autore abbia vissuto lui stesso vicende simili a quella raccontata nel libro.

Mi guarda sorridendo mentre io mi trattengo dal chiedergli in base a quali elementi si senta di affermare che quella descrizione è credibile. La situazione è surreale eppure mi ci sento stranamente a mio agio. Penso che un'occasione del genere non mi ricapiterà e cosí gli chiedo la sua, di opinione sul fenomeno. Sulla corruzione, intendo. Cosa si dovrebbe fare per contrastarla con efficacia, secondo lui. È una domanda quantomeno imbarazzante, considerata la storia del personaggio, ma in fondo, mi dico, non sono stato io a introdurre l'argomento. Lui non sembra turbato o offeso, e anzi mi risponde con un tono quasi didattico.

– Vede, la corruzione, in questo Paese, è una scelta facile, o almeno non abbastanza scomoda. Questo per molte ragioni. Le norme, il costume, l'inefficacia dei controlli. Anche la tendenza ad autogiustificarsi, come ha scritto lei nel suo romanzo. La soluzione è rendere questa scelta faticosa, complicata, difficile. La pigrizia, non solo quella morale, produce la corruzione. E la pigrizia può aiutare a sconfiggerla. Inutile affidarsi alla speranza che gli uomini si comportino bene per ragioni etiche. Alcuni lo fanno, molti altri no. Lei e io, per ragioni diverse, sappiamo di cosa sto parlando.

– È un discorso un po' teorico.

– Rendiamolo pratico. C'è una cosa semplice che si potrebbe fare subito.

– E cioè?

– Eliminare il denaro contante. Basterebbe disporre che tutte le transazioni, escluse solo quelle per importi minimi, avvenissero con carte o con i telefoni cellulari. Non venitemi a obiettare che è impossibile, che sarebbe un regalo alle banche, che complicherebbe la vita ai vecchietti che ritirano la pensione alle poste e altre sciocchezze. Tutti hanno un cellulare, ci vorrebbe al massimo qualche anno per educare la gente e portare il sistema a regime. Si potrebbe cominciare subito con l'eliminazione delle banconote di grosso taglio. Secondo lei chi maneggia pezzi da cinquecento euro? La vita di corrotti e corruttori diventerebbe molto, molto piú difficile senza buste e valigette piene di soldi.

– Però rimarrebbero le grandi operazioni di corruzione, quelle con pagamenti estero su estero, fondi neri eccetera.

– Senza dubbio. Di quelle ci si deve occupare in altro modo. Ma intanto un problema di sistema verrebbe risolto. E, per inciso, l'eliminazione del contante darebbe un bel colpo all'evasione fiscale quotidiana, segnerebbe la fine delle rapine in banca e di varie altre cose non belle.

– Le secca se la scrivo, questa conversazione?

Lui si stringe nelle spalle e annuisce con un sorriso vago e un'espressione difficile da decifrare: – Senza rendermi riconoscibile, – dice stringendomi la mano e andando via.

Sinceramente

Ieri notte ho fatto un sogno. In sé non è una notizia molto interessante: secondo quanto ci dicono gli esperti tutti sognano, tutte le notti. Ma non tutti ricordano le proprie esperienze notturne e io, appunto, sono fra quelli che non le ricordano. Il sogno della notte scorsa però me lo ricordo bene. Cosí bene che quasi mi sembra di confonderlo con la memoria di un fatto realmente accaduto.

Mi trovavo nella piazza di un piccolo paese, affollata di gente. C'era il mormorio di fondo tipico degli assembramenti di persone che parlano tutte insieme. Io ero in compagnia di una bambina sui dieci anni. Molto carina, simpatica, cordiale anche se con un filo di saccenteria. In ogni caso sapevo – come si sa nei sogni, senza che nessuno te lo abbia detto – che era mia amica ed era lí per spiegarmi delle cose importanti. – Adesso togliamo il sonoro, – ha detto a un certo punto. Poi ha fatto un gesto come per appallottolare un foglio di carta e d'un tratto il brusio è cessato.

Tutti continuavano a parlare e a gesticolare, solo che la scena si svolgeva in un totale silenzio.

– Osserva le espressioni di queste persone mentre parlano fra loro, – ha detto la mia amica.

– Perché?

– Perché le parole spesso servono a nascondere quello che pensiamo, invece di rivelarlo. Mentire con l'espressione del volto è piú difficile. Quando sarai grande ti sarà indispensabile saper leggere i volti al di là delle parole.

Ma io sono già grande, ho detto. O forse l'ho solo pensato, non lo so. Lei però si era già diretta verso un gruppetto di ragazzi che stavano in piedi vicino a un lampione. Mi ha fatto un cenno con la mano, come per dirmi di osservarli, e in quel momento ho realizzato che loro non ci vedevano. Eravamo invisibili, potevamo guardarli – studiarli – molto da vicino e in breve mi sono reso conto che la mia accompagnatrice aveva ragione. Se non vieni distratto dalle parole, se puoi – e vuoi – fare caso ai dettagli, ti accorgi della verità che c'è nelle facce. Allegria, rabbia, tristezza, stupore, disgusto, imbarazzo, insicurezza, meraviglia, sconforto, paura, entusiasmo, in tante sfumature difficili da descrivere.

Ci siamo spostati e lei ha attirato la mia attenzione su una ragazza che parlava con un ragazzo e aveva una faccia davvero ostile, piena di risentimento e di rabbia.

– Che cosa leggi nella faccia di questa ragazza?

– Rabbia. Un sacco di aggressività e rabbia.

– E sai cosa sta dicendo?

– Immagino che lo stia offendendo.

– Tu credi? – Ha schioccato le dita e il sonoro è tornato.

– Sinceramente, non voglio litigare –. Questo stava dicendo la ragazza.

– Dice la verità, secondo te? – mi ha chiesto la bambina.

– No, credo di no.

– Infatti non dice la verità. Ha una gran voglia di dire cose spiacevoli, eppure le sue parole sono: «Sinceramente, non voglio litigare». Gli avverbi sono oggetti pericolosi, bisogna badarci, sia quando parlano gli altri, sia quando parliamo noi stessi.

– Non capisco.

– Quando qualcuno ti dice che *sinceramente*, *onestamente*, *francamente* vuole o non vuole fare o dire qualcosa, be' allora stai molto attento, perché è un indizio chiarissimo che quel qualcuno non è affatto sincero, onesto o franco o qualsiasi altra cosa abbia dichiarato di essere con un avverbio. Le menzogne peggiori si nascondono dietro gli avverbi. E sai qual è l'avverbio piú pericoloso di tutti?

– Quale?

– Assolutamente. È l'avverbio che nasconde le peggiori malefatte. Ricordatene quando diventerai grande.

Ma io sono già grande, ho pensato di nuovo. Avrei voluto dirlo, e avrei voluto dire e chiedere altro – per esempio come si chiamava e come faceva a sapere tante cose pur essendo solo una bambina – ma a un tratto, come capita, il sogno è finito e io mi sono svegliato.

Canestri

Il *self-serving bias* è un importante concetto della moderna psicologia sociale e si riferisce alla tendenza a prenderci il merito dei nostri successi e ad attribuire ad altri – il prossimo, la società, la sfortuna – la responsabilità dei nostri fallimenti. Detta in altri termini, il *self-serving bias* è quel fenomeno complesso per cui, in pratica, tendiamo a sopravvalutare le nostre qualità e a sminuire i nostri difetti e i nostri limiti.

Se superiamo una prova, questo dipende dalla nostra abilità e dai nostri sforzi. Se non la superiamo, l'insuccesso dipende da fattori esterni. Il fenomeno può essere osservato nel mondo dello sport, dove la vittoria è sempre il risultato del duro allenamento e la sconfitta dipende quasi sempre dalla sfortuna o dagli arbitri. Nel mondo dell'economia e della finanza, dove i profitti sono merito degli abili, esperti, astuti manager e le perdite sono colpa della crisi (e, sia detto per inciso, i suddetti abili, esperti, astuti manager ricevono premi quando le cose vanno bene ma non pagano quasi mai quando le cose vanno male). Nel mondo della scuola e dell'università, dove i buoni voti dipendono da studio e intelligenza e quelli cattivi dall'incapacità didattica o dall'eccessiva severità dei professori. Nel mondo della politica, dove la vittoria elettorale dimostra le buone ragioni e l'abilità del vincitore, la sconfitta dipende ancora una volta dalla crisi (la crisi, in effetti, è un ottimo alibi per cialtroni di varia estrazione), dai condizionamenti internazionali, dalla propaganda, dalla ottusità degli elettori. Sul punto, per un interessante e anche divertente esercizio, si suggerisce di prestare speciale attenzione ai commenti che seguiranno alle prossime elezioni. Sia chiaro che non mi riferisco a nessuna competizione elettorale specifica, ma in questo Paese in qualsiasi momento manca solo qualche mese a «prossime elezioni».

Tendiamo a considerarci piú intelligenti, piú abili, piú capaci di comportamenti moralmente corretti, piú sani di quelli che sono piú o meno nelle nostre stesse condizioni: compagni di scuola e di università, colleghi di lavoro e via discorrendo.

Tendiamo addirittura a sopravvalutare le nostre prospettive di longevità rispetto alle persone che ci stanno vicine, come nell'aneddoto raccontato da Freud sul tipo che disse a sua moglie: «Quando uno di noi morirà, io andrò a vivere a Parigi».

Nove automobilisti su dieci considerano le proprie capacità di guida parecchio al di sopra della media e quando moglie e marito stimano la percentuale del loro contributo agli impegni familiari, la somma di queste percentuali è sempre superiore al cento per cento, il che significa che l'uno o l'altro, o piú spesso entrambi, sovrastimano il contributo in questione.

Essere consapevoli del *self-serving bias* sottraendoci, almeno in parte, ai suoi effetti può avere diverse conseguenze positive. Può migliorare i nostri rapporti personali e la nostra comprensione del mondo. Soprattutto, può trasformare l'idea che abbiamo del successo e dell'insuccesso, cambiando letteralmente le nostre vite. Accettare che le nostre sconfitte dipendano, di regola, da noi e non dal prossimo o dal destino avverso ci consente di imparare da esse, apprezzandole, trovandole addirittura desiderabili e cogliendo le inattese opportunità che ci propongono.

Bill Gates ha detto che il modo migliore per raggiungere il successo è raddoppiare il numero dei nostri fallimenti; Niels Bohr che il vero esperto è chi ha fatto tutti gli errori possibili nel proprio campo; Goethe che gli errori dell'uomo sono ciò che in realtà lo rendono amabile.

Michael Jordan è stato piú specifico, piú dettagliato: «Nella mia carriera ho sbagliato piú di 9000 tiri. Ho perso 300 partite. Per 36 volte i miei compagni si sono affidati a me per il canestro decisivo e io l'ho sbagliato. Ho fallito tante e tante volte nella mia vita. Ed è per questo che alla fine ho vinto tutto».

Stanlio e Ollio

Il trucco è piuttosto vecchio ma sempre efficace. Un classico dei truffatori professionisti.

Stai facendo retromarcia per uscire da un parcheggio quando all'improvviso senti una botta sulla carrozzeria. Scendi dall'auto per vedere cosa è successo e trovi un bambino che si lamenta, con una bicicletta per terra. Dice che l'hai urtato e l'hai fatto cadere. Dice che gli fa molto male il ginocchio/la caviglia/il gomito/la testa. Se è particolarmente bravo si mette persino a piangere.

È allora che subentra un tipo corpulento dall'aria minacciosa. Dice di essere il padre, o lo zio, o un conoscente dell'infortunato. A volte precisa che il ragazzino appartiene a una famiglia di malavitosi, chiarisce che dell'assicurazione *loro* – il pronome, nella sua vaghezza, si carica di un significato molto minaccioso – non sanno che farsene, alza la voce e pretende un risarcimento immediato: «Tira fuori il portafoglio e paga subito, se vuoi evitare guai».

Mi sono trovato davanti esattamente questa scena, tempo fa, mentre facevo una passeggiata.

Il malcapitato automobilista assomigliava all'attore Elio Germano e, come da copione, aveva un'aria in bilico fra sconcerto e spavento; il truffatore sembrava un Diego Abatantuono stile anni Ottanta e interpretava la parte con molta convinzione, alzando la voce e spintonando la vittima.

Mi sono detto che sapevo cosa stava accadendo e che dovevo intervenire, anche se l'idea di una possibile colluttazione con Diego Abatantuono non mi entusiasmava affatto. Una donna – sui trentacinque anni, di media statura, di media corporatura e pure mediamente carina – è stata piú svelta di me. È andata verso il tizio con decisione.

– Ho visto bene tutto. Il ragazzo ha dato una manata alla carrozzeria e si è buttato a terra. Andatevene che è meglio per tutti.

L'energumeno l'ha guardata allungando un po' il collo, come se non avesse sentito bene.

– E tu che cazzo vuoi?

La donna gli ha restituito lo sguardo. Tranquilla.

– Lasci perdere. Gliel'ho già detto: prenda il ragazzino e se ne vada.

Il tipo ha fatto un movimento verso la donna. Difficile dire quali fossero le sue reali intenzioni; magari non voleva toccarla e stava solo gesticolando, ma certo è che a quel punto la mano aperta di lei è partita come un elastico ed è arrivata, veloce e invisibile, sulla faccia dell'uomo producendo una specie di schiocco. La testa è rimbalzata come un punching ball.

Una frazione di secondo dopo la scena era del tutto uguale e del tutto diversa. Prima sembrava – era – minacciosa e drammatica; adesso aveva assunto un tono surreale, quasi comico. Erano entrambi lí, la donna calma e in attesa, in una specie di posizione di guardia; il truffatore spaesato, come uno che ha perso le coordinate della situazione.

È passato qualche istante. Di sicuro l'energumeno si stava chiedendo come uscirne con un minimo di dignità. Poi deve essersi risposto che era il caso di uscirne e basta. Ha scosso la testa, ha borbottato qualcosa, ha fatto un cenno al ragazzino. I due se ne sono andati come nel finale di un film di Stanlio e Ollio.

La donna, invece, se n'è andata come chi abbia appena sbrigato una banale formalità.

Rimasti soli, il ragazzo che assomigliava a Elio Germano e io ci siamo scambiati uno sguardo esterrefatto. Poi, quasi all'unisono, ci siamo stretti nelle spalle. Lui è risalito in macchina ed è ripartito. Io ho ripreso la mia passeggiata pensando, senza essere troppo originale, che questa storia prima o poi andava scritta.

La scorta

Di questi tempi, nel nostro Paese, la politica non gode di grande popolarità, e purtroppo per molte buone ragioni. Il problema piú serio non è costituito dai corrotti, dai ladri, dai fiancheggiatori dei mafiosi, dai delinquenti, insomma. A differenza di quello che si pensa, essi sono una minoranza. Certo, una minoranza pericolosa, ma della quale si occupano, spesso con successo, magistrati, carabinieri e poliziotti.

Il problema piú serio è che molti tra coloro che alla politica si dedicano professionalmente, e magari anche onestamente, paiono non rendersi davvero conto delle ragioni di questo discredito.

Qualche settimana fa ero a cena in un ristorante del centro di Roma. A un tavolo vicino al mio, con una signora, c'era un noto politico che in passato ha avuto incarichi di governo. Non è mai stato inquisito, mai nemmeno sospettato di comportamenti illeciti. Ha una reputazione, credo meritata, di persona per bene.

Ci conosciamo e cosí ci siamo salutati, abbiamo cenato ognuno con la propria compagnia e siamo usciti dal ristorante quasi contemporaneamente. Lui, con la sua amica, si è diretto verso una macchina munita di lampeggiante, dalla quale è sceso un giovanotto atletico che ha aperto gli sportelli posteriori. I due sono entrati, l'auto è partita con il lampeggiante acceso, ha imboccato una corsia preferenziale ed è scomparsa nella tiepida notte romana.

La scena non era nuova, ma mi ha lo stesso colpito. Non mi risultava, infatti, che il personaggio in questione fosse esposto a qualsiasi tipo di rischio personale e dunque fosse bisognoso di scorta. In piú occasioni l'avevo incontrato da solo, o insieme ad amici, ma senza poliziotti o carabinieri a occuparsi della sua sicurezza. Mi sono detto che gli avrei chiesto spiegazioni, quando lo avessi incontrato di nuovo, cosa che è accaduta qualche giorno dopo.

– Ho visto che hai una scorta, – ho detto, in modo piuttosto neutro.

– Sí, mi è rimasta dai tempi del governo, – ha risposto lui, con tono piuttosto evasivo.

– Ma perché? Hai problemi di sicurezza? Hai avuto minacce?

– No, per fortuna no.

– E allora perché?

– Me la dànno, non posso rifiutarla...

Non puoi rifiutarla? Come sarebbe a dire, non puoi rifiutarla? Certo che puoi, basta dirlo. È molto semplice, volendo. Basta scrivere due righe al prefetto spiegando che non corri alcun rischio, che la scorta e la macchina sono solo un privilegio ingiustificato e che, essendo un politico serio e un cittadino consapevole, chiedi che la relativa assegnazione venga subito revocata. Come hanno fatto altri – non molti, a dire il vero – prima di te.

Non ho detto cosí, anche se l'ho pensato intensamente, quasi rumorosamente. In ogni caso, la conversazione è diventata un po' imbarazzante e in breve ci siamo salutati.

Andandomene, riflettevo. Questo signore non è un mascalzone. Non nell'accezione tradizionale del termine, perlomeno. Con ogni probabilità è inconsapevole della sua condizione di ingiusto privilegio. Vive in una bolla di autoreferenzialità ed è dunque incapace di *vedere* sé stesso dal di fuori, in prospettiva; è incapace di cogliere i grotteschi rituali del potere di cui è partecipe; è incapace di capire come la sua inconsapevolezza, e quella di tanti come lui, stia letteralmente uccidendo – piú ancora del malaffare e della corruzione – la speranza di una politica in cui i cittadini possano riconoscersi.

Ho pensato che forse tornerebbe utile a chi si occupa di politica, e piú in generale ai detentori del potere in tutte le sue forme, prendere nota di quello che Marcel Proust diceva parlando del potere della letteratura.

«Il vero viaggio di scoperta non è cercare posti nuovi ma avere *occhi* nuovi».

Con cui guardare prima di tutto sé stessi.

Mario bis

Viaggio in treno da Milano a Roma. Sto cercando di scrivere un pezzo per una rivista e sono piuttosto in affanno, perché l'argomento non mi piace (mi sono pentito di avere accettato, ma ormai non posso piú tirarmi indietro) e soprattutto perché domani scade il termine per la consegna.

Sono alle prese con la quinta o la sesta versione dell'incipit quando il treno si ferma alla stazione di Bologna. Fra gli altri passeggeri sale a bordo una signora non giovanissima – diciamo, con qualche generosità, attorno ai settanta – avvolta in una densa nuvola di Opium. È truccata in modo alquanto vistoso, non è magra, esibisce una scollatura che sarebbe impegnativa anche per una trentenne e certamente non è stata immune da ripetuti incontri con la chirurgia estetica. Va a sedersi di fronte a un signore belloccio, piú o meno della mia età, con l'aria del manager, intento a lavorare sul suo computer.

– Lei dove va? – cinguetta la signora subito dopo la partenza del treno, rivolta al suo dirimpettaio. Qualcosa, nel tono della domanda, mi dice che conviene lasciar perdere per un poco il mio lavoro e seguire la conversazione.

– A Roma, signora, – risponde il tizio, alzando educatamente lo sguardo e accennando anche un sorriso, per poi tornare subito a immergersi nello schermo del computer.

– E cosa scrive di bello?

– Una relazione –. L'accenno di sorriso è scomparso.

– Che lavoro fa?

– Dirigente d'azienda, – dice col tono di chi spera che la risposta chiuda la conversazione.

– Ma sa che mi sembra di averla già vista da qualche parte? Non è che posso averla vista in televisione?

– Non credo. Sarà qualcuno che mi assomiglia, signora.

– Non mi piace essere chiamata *signora*, e diamoci del tu, che a occhio e croce siamo quasi coetanei.

Sulla parola *coetanei* il tizio fa la faccia di uno cui sia andato di traverso un osso di pollo. – Io mi chiamo Marina, Marinella per gli amici. Tu?

L'altro si chiama Mario e, ci scommetterei, sta pensando che sarebbe stato meglio prendere l'aereo.

– Ah, che coincidenza! Avevo un fidanzato, diciamo un amante, che si chiamava Mario. Ci siamo divertiti tanto con lui. Poi è morto.

– Ah, mi spiace...

– È morto felice, però, mentre facevamo l'amore. Gli piaceva tanto, era insaziabile. Qual è il tuo rapporto col sesso, Mario bis?

La faccia di Mario, adesso ribattezzato Mario bis, è indescrivibile. Sono sicuro che si sta chiedendo se Marinella sia drogata, pazza o ninfomane. O tutte e tre le cose.

– Non saprei, un rapporto... normale, credo.

– Non essere modesto, Mario. Invece hai l'aria di un bello sporcaccione. Secondo me ne sai una piú del diavolo –. Gli strizza l'occhio e gli lancia uno sguardo carico di allusioni. Poi si protende verso di lui e gli prende la guancia fra indice e medio, nel piú classico dei ganascini. Forse Mario bis pensa – o spera – di essere su *Scherzi a parte*; magari immagina che fra due minuti salti fuori la troupe nascosta e tutto finisca fra risate, pernacchie e abbracci. Ma non salta fuori nessuna troupe e Marina detta Marinella, ormai incontenibile, passa alle citazioni.

– Sai cosa rispose Peggy Guggenheim quando le chiesero quanti mariti avesse avuto? – Mario bis non lo sa, e probabilmente, stando alla sua espressione, non sa nemmeno chi fosse Peggy Guggenheim. Lei non ci fa caso e completa l'aneddoto: – Rispose: «Lei vuol dire i miei mariti, o quelli delle altre?» – e giú una bella risata ammiccante.

Il dialogo continua in un crescendo surreale fino alle vicinanze di Roma e fino a quando lei propone lo scambio dei numeri di telefono. – Cosí una sera possiamo uscire insieme, quando torni a Roma la prossima volta, – precisa.

Mentre Mario, con aria sconsolata, scrive su un foglietto un numero di telefono falso (almeno spero per lui) io prendo appunti su quello che ho appena visto e sentito. Prima o poi tornerà utile. In questo lavoro vale il vecchio motto sul maiale: non si butta via niente.

Poliziotto buono

Una delle piú antiche tecniche investigative, di certo la piú nota, è quella del poliziotto buono e del poliziotto cattivo. Viene utilizzata negli interrogatori di sospettati o di testimoni reticenti. Insomma di soggetti poco inclini a collaborare con gli investigatori. I ruoli, come è ovvio, vengono decisi prima di cominciare.

Lo schema è suppergiú il seguente.

Il cosiddetto poliziotto cattivo si comporta in modo aggressivo, verbalmente violento, minaccioso e sprezzante per suscitare ostilità, paura e bisogno di protezione. Il cosiddetto poliziotto buono al contrario si comporta in modo amichevole, gentile, comprensivo, quasi empatico; difende il soggetto interrogato dalle prepotenze e dalle aggressioni verbali del cattivo e suscita (o dovrebbe suscitare) simpatia. L'idea alla base del metodo è che dopo essere stato esposto al comportamento abusivo e prevaricatore del poliziotto cattivo, il soggetto dovrebbe essere incline a collaborare per un senso di gratitudine nei confronti di chi – il poliziotto buono – quel comportamento ha fatto cessare.

È un metodo vecchio che però – prescindendo da ogni considerazione sulla sua liceità etica o addirittura giuridica – funziona sempre. O meglio:

quasi sempre. Come dimostra questa storia che mi racconta un mio vecchio amico ispettore di polizia.

L'ispettore Caruso e il sovrintendente Minardi lavorano alla narcotici di una questura del Nord. Una pattuglia delle volanti ha accompagnato da loro un ragazzino trovato in possesso di due bustine di cocaina, evidentemente per uso personale. Minardi e Caruso decidono di interrogarlo per cercare di identificare lo spacciatore. Come al solito Minardi, un tipo magro dalla faccia affilata e dall'espressione poco rassicurante, farà il cattivo. Caruso, un omone di cento chili, quasi senza collo, che nel tempo libero insegna judo ai bambini, farà invece il buono.

Comincia Minardi – il cattivo – tenendo in mano le due bustine di droga.

– Chi te l'ha data questa? – gli urla in faccia.

– Uno che ho trovato in piazza, me l'avevano indicato degli altri ragazzi. Gli avevo chiesto da chi potevo comprare un po' di roba.

– Come si chiama questo *uno*?

– Non lo so, non l'avevo mai visto prima. Me l'hanno indicato dei ragazzi, gli avevo chiesto se c'era qualcuno...

Minardi gli prende il mento fra le dita e gli solleva la testa, bruscamente.

– Guardami in faccia, stronzetto. Non ci prendere per il culo, altrimenti ti faccio pentire di essere nato. Chi-cazzo-ti-ha-dato-la-droga? – gli dice, occhi negli occhi, molto da vicino. Il ragazzo, però, sostiene lo sguardo, e in un modo che costringe Minardi a lasciarlo, quasi senza accorgersene.

– Lo so quello che fate: il giochetto del buono e del cattivo. Lo so come funziona, l'ho visto in tanti film. È inutile, non lo conosco davvero quello da cui l'ho comprata.

La scena diventa immobile per qualche secondo. Nessuno dice niente. I due poliziotti si trattengono dal guardarsi perché sono sicuri che gli verrebbe da ridere, e non sanno cosa fare. L'idea per tirarsi fuori dall'impasse viene a Caruso.

– Bravo, allora sai tutto di come lavoriamo noi sbirri. Quindi secondo te il mio collega sarebbe il cattivo e io sarei il buono. È cosí? – Il ragazzo annuisce, un po' perplesso. Caruso si avvicina, gli si siede davanti, gli poggia la manona enorme sulla spalla. Il gesto non è proprio rassicurante.

– Però ti sbagli. Lui è il buono, il cattivo sono io.

– E poi che avete fatto? – chiedo a Caruso.

Lui finisce il suo caffè, scrolla le enormi spalle, socchiude gli occhi azzurri e gentili.

– L'abbiamo lasciato andare, dottore, è chiaro. Comunque, a quel punto, aveva vinto lui.

Contagio

Nel 1990 circa il sessantacinque per cento dei bambini vietnamiti al di sotto dei cinque anni – la stragrande maggioranza di quelli che vivevano nei villaggi rurali – soffriva di una qualche forma di malnutrizione. Per affrontare questa piaga Save the Children inviò in Vietnam un suo esperto di nome Jerry Sternin.

Qualche giorno dopo il suo arrivo a Hanoi, Sternin fu convocato da un alto funzionario del ministero degli Esteri, il quale, senza mezzi termini, gli comunicò che molti, nel governo e nelle alte sfere della burocrazia, non gradivano la sua presenza nel Paese. Il funzionario disse a Sternin che gli venivano concessi solo sei mesi di tempo, alla fine dei quali, in assenza di risultati documentabili, non gli sarebbe stato rinnovato il visto e avrebbe dovuto lasciare il Vietnam.

Sternin aveva studiato le numerose analisi esistenti sul problema. Tutte attribuivano la malnutrizione infantile e le relative malattie a un concorso di fattori: miseria, scarsa igiene, scarsa disponibilità di acqua potabile, ignoranza delle regole minime della nutrizione.

Queste analisi, tutte corrette, non gli fornivano però spunti per affrontare il suo compito: in sei mesi non avrebbe potuto risolvere problemi enormi ed endemici come la miseria, l'ignoranza, la penuria di acqua potabile. Aveva bisogno di risultati rapidi e visibili.

Sternin prese dunque a viaggiare per i villaggi, rivolgendo a tutte le madri la stessa domanda: «In questo villaggio ci sono bambini poveri come gli altri che sono però piú cresciuti e piú sani degli altri?»

In ogni villaggio la risposta era sí. In ogni villaggio c'erano bambini ben nutriti a dispetto della miseria e della mancanza d'igiene. La malnutrizione, dunque, non era un destino ineluttabile. Bisognava solo capire perché.

Sternin scoprí che i piccoli malnutriti mangiavano con gli adulti due volte al giorno – un ritmo inadatto a bambini in condizioni precarie di salute – e non riuscivano a metabolizzare il cibo. Quelli ben nutriti invece mangiavano lo stesso quantitativo di cibo diviso in quattro pasti, e riuscivano ad assimilarlo. Quando stavano poco bene, le loro mamme li imboccavano, anche se loro non avevano voglia di mangiare; le mamme dei malnutriti lasciavano invece che i piccoli si regolassero da soli. Ciò, in pratica, significava che spesso rimanevano digiuni. Infine le mamme dei bambini sani mettevano nel riso dei loro piccoli alimenti di solito riservati agli adulti: gamberetti e un particolare tipo di patata. Questi alimenti, ampiamente disponibili ma per abitudine trascurati nell'alimentazione infantile, fornivano ai piccoli le proteine indispensabili per la loro crescita e la loro salute.

Le abitudini alimentari delle famiglie dei bambini in buona salute furono diffuse anche alle altre famiglie. Alla scadenza dei sei mesi oltre il cinquanta per cento dei bambini malnutriti interessati dall'intervento era in buona salute. Il visto di Sternin venne prorogato, il metodo venne diffuso in tutto il Paese e salvò dalla malnutrizione piú di cinquantamila bambini.

In questa bellissima storia vera è contenuta un'idea semplice e geniale.

Cosa fece, in sostanza, Sternin? Non potendosi occupare della miseria, della penuria di acqua potabile, della scarsa igiene, ma non volendo arrendersi, rovesciò il modo di affrontare il problema. In una situazione che sembrava senza speranza, scoprí quello che funzionava – le abitudini alimentari virtuose di alcune madri – e replicò il modello.

Scoprí gli esempi positivi e li diffuse in una sorta di contagio benefico. Un metodo, questo (concentrarsi su quello che funziona per riprodurlo, piuttosto che su quello che non funziona per cercare, spesso inutilmente, di ripararlo), che forse andrebbe studiato, compreso e applicato da una politica che volesse davvero risolvere i problemi.

Binari

Alla presentazione di un libro faccio conoscenza con una professoressa londinese di Filosofia morale. È simpatica e carina – come una sorella maggiore di Keira Knightley – e parla un buon italiano. La voce ricorda un po' Stanlio, ma insomma, nessuno è perfetto.

– Esattamente, dunque, di cosa si occupa? – le chiedo.

– Mi occupo di problemi di *carrellologia*. Si dice cosí in italiano, vero?

– *Carrellologia*?

– La *trolleyology* – trolley si dice carrello in italiano, no? – è una branca dell'etica analitica che prende il nome dal cosiddetto problema del carrello. Non sa di cosa si tratta?

– Temo di no.

– Il problema del carrello è un dilemma classico della filosofia morale degli ultimi decenni. Nella sua prima versione fu elaborato da Philippa Foot nel 1967.

– E in cosa consiste?

– Immagini un carrello ferroviario lanciato senza controllo lungo un binario sul quale ci sono cinque persone legate. Se il carrello le raggiungerà saranno uccise. Immagini poi di poter azionare una leva che devierà il carrello su un altro binario dove è legata una sola persona. Lei che fa? Aziona o non aziona?

– Be', penso di sí.

– È in una numerosa compagnia. La grande maggioranza di quelli cui viene proposto il quesito risponde come lei. Meglio che ne muoia uno solo invece di cinque. Giusto?

– Giusto.

– Adesso immagini quest'altra situazione. Lei si trova su un ponte sotto il quale passa il binario col carrello impazzito. Sul binario ci sono sempre i cinque tizi legati. Sul ponte c'è anche un uomo molto grasso. Se lei lo spinge giú il suo corpo fermerà il carrello. Come nel primo esempio, uno morirà ma cinque saranno salvi. Che cosa fa questa volta? Spinge?

– Concettualmente sembra la stessa cosa. Però d'istinto mi viene da dire no.

– Anche qui ha risposto come la maggioranza. Quasi tutti dicono di no, inclusi quelli che hanno risposto sí alla prima domanda. Ha ragione, concettualmente è la stessa cosa: in una prospettiva utilitaristica il male minore è che uno solo muoia per salvarne cinque. Secondo lei cosa ci fa sembrare immorale, in questo caso, un'azione identica alla precedente dal punto di vista utilitaristico?

– Be', in questo caso uno dovrebbe spingere *fisicamente* l'uomo grasso...

– Certo, e questo è spiacevole. Ma da un punto di vista etico non cambia nulla. C'è però una variante che elimina questo fattore di disturbo psicologico, cioè l'idea di entrare in contatto fisico con la persona che dovrà morire. Immagini che ci sia una botola e che lei possa azionarla con una leva, facendo cadere l'uomo sul binario senza doverlo toccare. Che fa? Aziona la botola?

Scuoto la testa.

– No, comunque credo di no.

– Perché?

– Forse i due casi non sono cosí simili come sembra. Nel primo *non vogliamo* la morte del singolo legato sul binario deviato. Nel secondo vogliamo proprio uccidere il tipo grasso, anche se per una buona causa.

La professoressa non riesce a reprimere un lieve sorriso di stupore.

– Esatto. Anzi: nel primo caso la morte del singolo non è neppure necessaria per salvare gli altri cinque. Probabilmente morirà, certo. Ma, per esempio, potrebbe riuscire a slegarsi e a scappare, e noi ne saremmo contenti. Nel secondo caso la morte dell'uomo grasso è necessaria al nostro scopo. Se dopo essere caduto riuscisse a rotolare via, i cinque che volevamo salvare morirebbero. Dunque, per salvare gli altri, dobbiamo *voler* uccidere un innocente. È questo il motivo per cui la maggioranza delle persone cui viene posta la questione, pur non sapendo spiegare perché, dice di sentire *per istinto* che quest'ultima sarebbe un'azione sbagliata dal punto di vista etico.

Rimaniamo in silenzio per qualche decina di secondi. Io cerco qualcosa di intelligente da dire e naturalmente non la trovo.

– *Carrellologia*, eh? Lei fa questo di mestiere? – dico infine.

– Be', sí. Nessuno è perfetto, – risponde lei, con la sua voce da Stanlio.

La riduzione delle tasse

Un amico di miei amici – chiamiamolo Giovanni – faceva l'avvocato di affari e viaggiava spesso per lavoro.

Una sera dell'agosto 2010 era a Londra e il giorno successivo avrebbe dovuto incontrare dei finanzieri provenienti da Paesi dell'ex Unione Sovietica per discutere di alcuni grossi investimenti internazionali. Dopo cena si stava trattenendo al bar del suo albergo quando notò, seduta da sola a un tavolino, una ragazza bellissima: bruna, zigomi alti, occhi blu, labbra sensuali, fisico da modella.

Dopo un gioco di sguardi durato qualche minuto la ragazza si alzò, si avvicinò a Giovanni, si presentò dicendo di essere una hostess di una compagnia aerea sudamericana e gli chiese se poteva offrirgli da bere. Giovanni, esterrefatto ma anche parecchio lusingato, accettò.

La ragazza andò al bar e ritornò al tavolo con due cocktail, uno per sé e uno per Giovanni. Lui ringraziò, incredulo per la fortuna che gli stava capitando, brindò pensando alle inattese ed eccitanti prospettive della serata e bevve un sorso della sua bibita.

Qui i suoi ricordi si interrompono, per riprendere dopo un tempo imprecisato quando si risvegliò immerso in una vasca da bagno piena di cubetti di ghiaccio. Si guardò attorno in preda ai brividi, cercando in modo frenetico di capire dov'era e come fosse finito in quel posto. Sembrava un albergo, ma non era il suo. Sul muro di fronte alla vasca era attaccato un foglio con una scritta in stampatello: NON MUOVERTI. CHIAMA IL 112 (numero di emergenza valido in tutta Europa). Vicino alla vasca, su uno sgabello, c'era un cellulare. Giovanni lo prese e con le dita tremanti per il freddo compose il 112. L'operatore del centralino era molto professionale e, cosa strana, parve poco stupito. – Signore, vorrei che facesse quello che le dico. Lentamente, senza movimenti bruschi, controlli se c'è un tubo che sporge dalla parte bassa della sua schiena.

Pur essendo una richiesta piuttosto bizzarra, Giovanni fece quello che gli era stato detto e si accorse che il tubo c'era.

– Che succede? – chiese preso dal panico.

– Signore, tenga acceso il cellulare. Cosí riusciremo a localizzarla. In mezz'ora sarà da lei un'ambulanza che la porterà subito in ospedale. Non si muova fino a quando non arrivano.

– La prego mi dica cosa sta succedendo!

– Signore, cerchi di mantenere la calma. Da mesi in città è in azione una banda di trafficanti di organi. Purtroppo abbiamo il ragionevole sospetto che le sia stato asportato un rene.

Avete appena letto una delle leggende metropolitane piú famose al mondo.

Le leggende metropolitane – o leggende contemporanee – sono uno dei temi piú interessanti della moderna antropologia e ci dicono della straordinaria propensione che gli umani hanno a farsi ingannare e a diventare essi stessi strumenti inconsapevoli della propagazione di un inganno. Infatti quasi sempre chi racconta queste storie è in buona fede, è cioè convinto che siano vere. Nulla di troppo grave. Il problema è che lo stesso schema delle leggende e la loro stessa capacità di ingannare ce l'hanno gran parte dei messaggi e delle promesse della propaganda politica. Allo stesso modo delle leggende sono sorprendenti, plausibili, facili da ascoltare e da diffondere in buona fede. A differenza delle leggende metropolitane, però, questi messaggi non sono affatto innocui.

Allora quando vi raccontano storie di cuccioli di cane che si trasformano in topi assassini, di tronchetti della felicità che nascondono ragni velenosi, di autostoppisti fantasma, o anche di tasse che verranno ridotte o addirittura restituite, be', ponetevi il problema se quello che vi stanno dicendo è davvero una cosa seria.

Avvocati

La rivista dell'ordine degli avvocati del Massachusetts ha pubblicato una raccolta di verbali processuali alquanto bizzarri, che nel loro insieme costituiscono un singolare affresco dell'incompetenza professionale e, talvolta, dell'imbecillità umana. Quelli che seguono sono i miei preferiti.

AVVOCATO Lei ha tre figli, giusto?
TESTIMONE Sí.
AVVOCATO Quanti sono maschi?
TESTIMONE Nessuno.
AVVOCATO Qualcuno di loro è femmina?

AVVOCATO Da cosa è stato interrotto il suo primo matrimonio?
TESTIMONE Dalla morte.
AVVOCATO E dalla morte di chi è stato interrotto?

AVVOCATO Può descrivere l'individuo?
TESTIMONE Era di media altezza e aveva la barba.
AVVOCATO Si trattava di un maschio o di una femmina?

Una donna era sotto processo per il reato di lesioni personali, accusata di avere aggredito una conoscente – che sospettava essere l'amante di suo marito –, di averla presa a schiaffi, pugni e calci e infine di averle staccato un pezzo di orecchio con un morso.

Il principale teste dell'accusa era un ragazzo. Questo è il controesame cui venne sottoposto dall'avvocato difensore dell'imputata, il cui obbiettivo, ovviamente, era di incrinare l'attendibilità della deposizione.

AVVOCATO Allora, lei afferma che la mia cliente ha staccato l'orecchio alla persona offesa?
TESTIMONE Sí.
AVVOCATO A che distanza dalla colluttazione si trovava?
TESTIMONE Una ventina di metri.
AVVOCATO Che ora era, piú o meno?
TESTIMONE Le nove di sera.
AVVOCATO Ed eravate nel parcheggio del supermercato, all'aperto, esatto?
TESTIMONE Sí, esatto.
AVVOCATO Era ben illuminato?
TESTIMONE Non molto.
AVVOCATO Si può dire che il tutto è accaduto nella semioscurità?
TESTIMONE Sí, piú o meno. Insomma, non c'era molta luce.
AVVOCATO Quindi il fatto è accaduto alle nove di sera, in un parcheggio male illuminato e lei si trovava a piú di venti metri dal punto in cui si svolgeva l'azione. È esatto?
TESTIMONE È esatto.
AVVOCATO E lei vuol farci credere che in queste condizioni è riuscito a vedere la mia cliente che staccava un piccolissimo pezzo di orecchio alla sua rivale?
TESTIMONE Ma io non l'ho vista mentre lo staccava…
AVVOCATO Allora come fa a sostenere quello che ha appena detto? Come fa ad accusare…
TESTIMONE … l'ho vista mentre lo sputava subito dopo.

Spesso nei processi per omicidio, sia esso colposo o volontario, si discute dell'esatto momento della morte della vittima. È un accertamento che può essere decisivo per affermare o escludere la responsabilità dell'imputato. La nozione medico-legale di morte non è intuitiva e spesso riguarda un momento anche di molto successivo alla perdita totale della coscienza. Per questo motivo gli avvocati si accaniscono – con risultati non sempre esaltanti – nel controesame dei consulenti tecnici e dei periti. Ecco due esempi di questo accanimento.

AVVOCATO Si ricorda l'ora in cui ha esaminato il corpo?
PERITO L'autopsia è iniziata attorno alle 20.30.
AVVOCATO E il signor Dennington era morto?
PERITO No, era sdraiato sul tavolo desideroso di sapere perché gli stavo facendo un'autopsia.

AVVOCATO Dottore, prima di eseguire l'autopsia, ha controllato il battito cardiaco?
PERITO No.
AVVOCATO Ha controllato la pressione del sangue?
PERITO No.
AVVOCATO Ha controllato se respirasse?
PERITO No.
AVVOCATO Allora è possibile che il paziente fosse vivo quando ha cominciato l'autopsia?
PERITO No.
AVVOCATO Come può esserne cosí sicuro, dottore?
PERITO Perché il suo cervello era in un contenitore sulla mia scrivania.
AVVOCATO Ma è tuttavia possibile che il paziente possa essere stato ancora vivo?
PERITO Ora che ci penso sí, è possibile che fosse vivo e che stesse facendo l'avvocato da qualche parte.

Profezie

A novembre 2011, nel pieno della crisi politica che portò alla fine del governo Berlusconi, mi capitò di incontrare a casa di amici uno dei piú famosi sondaggisti italiani. Un esperto abituato a frequentare salotti televisivi, a formulare giudizi rapidi e previsioni definitive.

Ci chiedevamo tutti, quella sera, cosa sarebbe successo. Se saremmo andati a votare subito o se invece qualcuno sarebbe riuscito a formare un governo di emergenza per cercare di tirar fuori il Paese dalla crisi. Nel corso della conversazione il super-esperto televisivo, sondaggista e guru, disse a un certo punto, con tono serenamente drastico e l'espressione di chi è su un piano molto ma molto piú alto rispetto ai comuni mortali: – Si vota fra tre mesi al massimo.

Devo dire che la sicurezza mi intimidisce sempre, perché penso che se qualcuno – fra l'altro super-esperto, sondaggista e guru – afferma una cosa in modo tanto categorico deve per forza avere delle ottime ragioni. Perciò gli domandai – con circospezione e con il dovuto rispetto, sia chiaro – per quale motivo o su quali basi facesse un'affermazione cosí netta. Lui si voltò verso di me, guardandomi come si guarda un insetto molesto, e dopo qualche istante rispose: – È chiaro a tutti che non ci sono alternative ragionevoli, è impossibile formare qualsiasi governo. Dunque si vota fra tre mesi.

Fine della conversazione.

In effetti tre mesi dopo era in carica il governo presieduto dal senatore Monti e a votare ci siamo andati nel febbraio 2013, quindici mesi dopo la previsione – un tantino imprecisa, diciamolo – del guru in questione.

Nel 1874 lo scienziato Philipp von Jolly affermò che nella fisica era ormai stato scoperto tutto. Nel 1916 Charlie Chaplin affermò che al pubblico non interessava vedere figure in movimento su uno schermo, ma esseri umani in carne e ossa su un palcoscenico. Nel 1932 Albert Einstein dichiarò categoricamente che non ci sarebbe mai stata la possibilità di produrre energia atomica. Nel 1943 l'allora presidente dell'Ibm Thomas Watson affermò che in futuro ci sarebbero state al massimo cinque persone nel mondo interessate a comprare un computer. Nel 1977 Ken Olsen, fondatore di Digital Equipment Corporation (la prima impresa informatica a realizzare computer di dimensioni inferiori a una stanza e destinati a usi commerciali), disse che non esisteva una sola ragione al mondo per cui qualcuno avrebbe dovuto volere un computer in casa propria. Nel 1995 Robert Metcalfe, inventore dell'Ethernet, sentenziò che Internet sarebbe presto divenuta una supernova e nel 1996 sarebbe crollata in modo catastrofico. Nel 2007 Steven Ballmer, ex amministratore delegato Microsoft (ex non senza ragioni), disse che non c'era alcuna possibilità che l'iPhone conquistasse una qualche significativa quota di mercato.

Si potrebbe andare avanti molto a lungo. Lo psicologo di Berkeley Philip Tetlock lo ha fatto analizzando 82 361 pronostici formulati da 284 esperti nell'arco di dieci anni e giungendo ad affermare che la loro precisione (o meglio l'imprecisione) sarebbe stata la stessa se a generarli fosse stato un computer in maniera casuale.

Il problema è che i cosiddetti esperti non subiscono alcuna conseguenza quando sbagliano una previsione, mentre guadagnano in fama, visibilità e incarichi quando – per bravura o per fortuna – i loro pronostici si rivelano esatti. Le previsioni sbagliate, però, possono produrre effetti catastrofici, se chi le fa viene considerato attendibile e se in base a quei pronostici vengono prese decisioni importanti.

Quando ci capita di sentire o di leggere le profezie di un cosiddetto esperto, forse, prima di dargli credito sarebbe una buona idea controllare le previsioni che, di sicuro, ha già fatto in passato.

Tutta la verità

Tarda sera. Un gruppo di amici a tavola, dopo una buona cena e del buon vino. Si chiacchiera e, come capita, la conversazione si sposta da argomenti piú o meno leggeri a questioni fondamentali.

Stavolta il tema è piuttosto serio: la verità. Bisogna dirla sempre e comunque o in certe situazioni le bugie sono ammissibili, addirittura auspicabili?

Fra i commensali c'è una giornalista alquanto alla moda, ma brava, che di recente ha scritto un articolo sull'argomento. Pare che tutti gli esseri umani mentano in media dieci volte al giorno e che in particolare tantissime donne – quasi il cinquanta per cento – mentano al loro partner su una questione non proprio irrilevante: simulano l'orgasmo. In alcuni casi simulano addirittura orgasmi multipli.

La tesi del pezzo è che la maggior parte di noi non vuole riconoscere quanto siano importanti le bugie e quanto ci aiutino a vivere in modo pacifico, oliando gli ingranaggi delle nostre relazioni sociali. Se dicessimo sempre la verità il mondo sarebbe un posto alquanto sgradevole e inospitale.

I commensali si dividono tra favorevoli e contrari. Fra questi ultimi un medico che, senza una ragione precisa, non mi è mai stato simpatico.

– Io credo che dire la verità sia un imperativo morale, soprattutto nella coppia. Non esistono bugie cattive e bugie buone. Ci sono le bugie e basta. E non si devono dire.

– Cioè nella coppia bisognerebbe dirsi tutto? – chiede la giornalista.

– Assolutamente sí, – risponde lui.

«Assolutamente sí» è un'espressione che mi rende alquanto nervoso.

– Allora immaginiamo una situazione concreta, – riprende la giornalista. – Una mia cara amica, sposata, in un viaggio di lavoro conosce, tanto per fare un esempio, George Clooney. Lui è simpatico, galante e dopo che hanno chiacchierato a lungo la invita a finire la serata nella sua suite. Lei, incredula, accetta e, insomma, senza entrare in troppi dettagli, passano la notte insieme. La mattina dopo si salutano in allegria, sapendo che non si vedranno piú. Ora non perdiamo tempo a domandarci se ha fatto bene o ha fatto male (fra le signore presenti si alza un brusio inequivocabile, condito di risatine: ha fatto benissimo, senza alcun dubbio). Quando torna a casa mi chiama, mi racconta tutto e mi chiede consiglio. Deve raccontare l'accaduto a suo marito, a rischio di conseguenze imprevedibili, o è meglio per tutti che la cosa rimanga un episodio isolato e un segreto ben custodito? Secondo te cosa dovrei consigliarle?

L'altro non ha dubbi. Bisogna dire tutto e accettare le eventuali conseguenze delle proprie azioni. Come capita in questi casi, ognuno rimane della propria opinione. Infine arriva l'ora di andarsene.

Mi incammino con un amico.

– Ci vuole una bella faccia tosta, – dice quando siamo in strada.

– A fare cosa? – chiedo.

– A dire certe cose.

Insomma, salta fuori che il tizio sostenitore della verità a ogni costo ha da tempo una relazione extraconiugale con una collega. Il mio amico tende a escludere che la moglie di lui sia stata informata, in esecuzione dell'imperativo categorico per cui bisogna dire sempre la verità.

Io ribatto che mi sembra impossibile. Intendo: impossibile mentire in quel modo. Sembrava cosí sincero. Non ero d'accordo con quello che diceva – in realtà gli avrei dato una bottigliata in testa per farlo smettere con le sue sciocchezze – ma sembrava davvero sincero.

– Groucho Marx aveva capito tutto, – replica il mio amico.

– Cioè?

– Diceva che il segreto del successo è la sincerità. Una volta che sei capace di simularla, ce l'hai fatta.

Epitaffio

Mai sentito parlare di *kōan*?

Sono uno strumento fondamentale della pratica zen e consistono in affermazioni paradossali o in brevi racconti o enunciati cui seguono domande all'apparenza assurde ma in realtà costruite per mettere in crisi la nostra ordinaria capacità di interpretare il mondo.

Come sempre qualche esempio funziona molto meglio di lunghe spiegazioni. Ecco dunque alcuni dei *kōan* piú classici e famosi.

Puoi produrre il suono di due mani che battono l'una contro l'altra. Ma qual è il suono di una mano sola?

Un monaco incontrò un giorno un maestro zen e, volendo metterlo in imbarazzo, gli domandò: «Senza parole e senza silenzio, sai dirmi che cos'è la realtà?» Il maestro gli diede un pugno in faccia.

Immaginiamo una foresta in cui c'è un vecchio albero, con il tronco fradicio e divorato dai parassiti. A un certo punto questo vecchio albero cede e si schianta al suolo. Immaginiamo che non ci sia nessuno – ma davvero nessuno – in quella foresta a sentire l'albero che cade, travolge rami e cespugli, e si fracassa.

Questa è la breve storia. Ed ecco la domanda:

se quella foresta e le sue vicinanze sono deserte, e perciò quel rumore non lo sente nessuno, possiamo dire che sia esistito?

Il senso comune – che spesso è utile ma a volte ci impedisce di progredire – ci suggerirebbe di rispondere sí. Il maestro zen replicherebbe con un'altra domanda: «Come facciamo a dire che il rumore è esistito se nessuno lo ha sentito e dunque nessuno è in grado di raccontarlo?»

Naturalmente non c'è una risposta giusta o una risposta sbagliata.

I *kōan* servono a scardinare il modo convenzionale di guardare le cose, a mostrare i limiti del ragionamento logico, a offrire un punto di vista nuovo sulla realtà in generale o su uno specifico problema. Possono trasformare il nostro modo di guardare alla vita, mostrandoci soluzioni impreviste; a volte producendo vere e proprie illuminazioni.

I *kōan* attirano l'attenzione sulla molteplicità delle possibili risposte ai problemi dell'esistenza; servono a proporre la soluzione di problemi che sembrano insolubili, a sottrarsi in modo originale e creativo a situazioni che sembrano irrimediabili. Un'impostazione che assomiglia molto a quella proposta dal poeta inglese John Keats con la nozione di «Capacità Negativa», cioè la dote fondamentale dell'uomo in grado di conseguire risultati autentici, di risolvere davvero i problemi («Man of Achievement»).

Keats chiamò «negativa» questa capacità per contrapporla all'atteggiamento positivo di chi affronta i problemi alla ricerca di soluzioni immediate, nel tentativo di piegare la realtà al proprio bisogno di certezze. «Capacità Negativa è cioè quando un uomo è capace di stare nell'incertezza, nel mistero, nel dubbio senza l'impazienza di correre dietro ai fatti e alla ragione… perché incapace di rimanere appagato da una mezza conoscenza».

Cercare subito un'interpretazione univoca da cui far discendere una soluzione immediata e rassicurante è, nella maggior parte dei casi, un comportamento automatico e, in definitiva, un modo per sottrarsi al dovere di pensare.

Al contrario, per Keats, accettando l'incertezza, il caso, il disordine, l'errore, il dubbio è possibile osservare piú in profondità, cogliere le sfumature e i dettagli, porre nuove domande, anche paradossali e dunque allargare i confini della conoscenza e della consapevolezza.

John Keats morí di tubercolosi il 24 febbraio del 1821 all'età di ventisei anni, nella casa che aveva preso in affitto a piazza di Spagna a Roma.

Sulla sua tomba volle che fossero incise queste parole: *Here lies One Whose Name was writ in Water* – «Qui giace un uomo il cui nome fu scritto sull'acqua».

Un epitaffio che sarebbe piaciuto ai maestri del *kōan*.

Tranelli

L'anno scorso ho conosciuto uno psicologo newyorchese – in realtà italiano ma che vive e lavora a New York da molti anni. Un bel signore sulla settantina, con barba bianca, occhi blu, espressione bonaria e acuta allo stesso tempo, da vecchio zio saggio e simpatico. Sembrava un personaggio da film e ispirava fiducia a prima vista.

Abbiamo chiacchierato a lungo, aveva un sacco di storie interessanti da raccontare. Cose accadute a lui o a suoi colleghi per via del loro lavoro.

– C'è una frase attribuita al filosofo Epitteto, – ha detto a un certo punto, – che è la base di gran parte del lavoro di ogni psicoterapeuta.

– Qual è?

– «Non le cose stesse ci disturbano, bensí le opinioni che noi abbiamo delle cose». La sofferenza non deriva quasi mai dal mondo come è, ma dalla *interpretazione* che ne diamo a noi stessi, dal modo in cui leggiamo il mondo e dal modo in cui elaboriamo questa lettura. In gran parte dei casi la terapia piú efficace consiste nel cambiare le opinioni del paziente e dunque la sua interpretazione della realtà. Il che, naturalmente, è molto piú difficile a farsi che a dirsi. Siamo tutti attaccati alle nostre opinioni e tendiamo a difenderle. Soprattutto quelle patologiche.

– E allora?

– E allora spesso è necessario adoperare degli espedienti per scardinare le opinioni e le convinzioni patologiche, aggirando le resistenze del paziente. Bisogna ingannarlo a fin di bene.

– Mi fa un esempio?

– C'era una ragazza – chiamiamola Paola, anche perché questo era il suo vero nome – che era incapace di dire *no* a qualsiasi richiesta le fosse rivolta. Il problema nasceva da un episodio traumatico della sua infanzia. Sembra infatti che da bambina una volta si fosse rifiutata di rimanere a casa per fare compagnia a suo padre che stava poco bene. Quando tornò a casa, il padre era morto. In seguito a ciò Paola sviluppò un terribile senso di colpa che negli anni si trasformò in una paralizzante incapacità di pronunciare un rifiuto. La convinzione inconsapevole e patologica alla base di questa incapacità era che ogni rifiuto avrebbe potuto produrre conseguenze catastrofiche e tragiche, come era successo con la morte del padre. Una manifestazione di quello che noi chiamiamo «pensiero magico».

– Era incapace di dire *no* anche nei rapporti con l'altro sesso?

– Esatto. Può immaginare come fosse complicata, spesso umiliante, la sua vita. Era sfruttata sul lavoro, era manipolata in famiglia e, appunto, nella sfera sessuale si trovava spesso in situazioni molto spiacevoli che non riusciva a controllare. Arrivò un momento in cui si rese conto di non farcela piú.

– E decise di entrare in analisi?

– Sí. Dopo alcune sedute individuali fu avviata a una terapia di gruppo. Nel corso di una seduta il terapeuta le disse che ognuno degli altri partecipanti le avrebbe chiesto qualcosa e lei avrebbe dovuto dire di no a tutti. Paola fu presa dal panico e balbettò che le dispiaceva, ma non era possibile. Il terapeuta insistette, con decisione. Paola *rifiutò* con decisione, ripetendo che le dispiaceva ma proprio non le era possibile dire di no a nessuno. Il terapeuta a quel punto diventò piuttosto duro e, alzando la voce, disse: «Paola, le ordino di eseguire il compito che le ho assegnato». Paola rispose ancora di no, alzando pure lei la voce. Il terapeuta sorrise, e sorrisero anche gli altri partecipanti alla seduta.

La ragazza si guardò attorno interdetta, rendendosi conto del tranello in cui era caduta. Aveva detto ripetutamente di no – addirittura rifiutando di eseguire un ordine – a una figura autorevole come il terapeuta e non era accaduto nulla di catastrofico. Da quel momento cominciò a migliorare e alla fine riuscí a sbarazzarsi del suo problema.

– Geniale. Il terapeuta era lei, vero?

Mi ha sorriso senza rispondere, stringendosi nelle spalle.

Scrivanie vuote

In primavera sono stato per lavoro in Canada, a Montréal, Québec e Vancouver. In quest'ultima città – che, per chi non lo sapesse, offre degli scorci spettacolari, fra monti innevati, oceano e grattacieli – ho visitato una libreria molto diversa da quelle che frequento di solito. Si chiama MacLeod's Books, vende ogni sorta di libri usati – di cui ha un assortimento sterminato –, si trova in Pender Street, cioè in pieno centro, e dovrebbe essere una tappa obbligatoria per chi si trovi a passare da Vancouver.

Cosa rende MacLeod's un posto cosí fuori del comune, a parte il fatto che è possibile trovarci di tutto? Per capirlo è necessario descrivere il luogo, e in realtà per farlo basterebbero due parole: gigantesco disordine. I libri sono disposti in modo all'apparenza casuale, ammucchiati su banconi, stipati su scaffali, impilati in equilibrio precario sul pavimento. In alcune zone del negozio anche solo muoversi è piuttosto complicato: l'impressione, non del tutto rassicurante, è che un gesto sbagliato potrebbe produrre crolli a catena dagli effetti imprevedibili.

Se si leggono i commenti su Internet si scopre che molti frequentatori descrivono la visita come un'autentica caccia al tesoro e io stesso nel piano interrato – se possibile perfino piú disordinato del pian terreno e dall'atmosfera ancora piú misteriosa, quasi esoterica – ho trovato alcuni libri davvero sorprendenti.

L'aspetto piú singolare dell'esperienza, però, consiste nell'osservazione del lavoro dei commessi. Arriva un cliente e con l'espressione dubbiosa di chi non crede sia possibile ritrovare alcunché, lí dentro, chiede qualcosa, magari mostrando un foglietto con un appunto. Il commesso sfodera un sorriso professionale e anche un po' inquietante, annuisce e, senza consultare computer o archivi, si dirige con incomprensibile sicurezza verso un punto preciso di quel caos, scompare per qualche istante fra cataste di volumi e ne riemerge quasi sempre con il libro richiesto.

Lo spettacolo ha un che di ipnotico – è come assistere a un'elegante prestazione sportiva o, meglio, all'esibizione di un prestigiatore – e l'abilità quasi soprannaturale dei commessi di MacLeod's mi ha ricordato un testo interessantissimo intitolato, senza lasciare spazio a troppi equivoci: *La forza del disordine*, di Eric Abrahamson e David H. Freedman.

Ci sono molte cose che fanno riflettere in questo libro. Il succo – spiegato con esempi divertenti e inattesi – è che spesso ordine, organizzazione e tendenza alla pianificazione producono piú danni che benefici; e che individui, istituzioni e sistemi moderatamente disorganizzati si rivelano piú dinamici, elastici e creativi di quelli troppo organizzati. Per la maggioranza di noi – sostengono gli autori – l'ordine è divenuto un fine piuttosto che un mezzo. Quando veniamo travolti dall'ansia per le nostre scrivanie e le nostre case disordinate non è tanto perché il disordine ci crea dei veri problemi, ma solo perché supponiamo che dovremmo essere piú ordinati e organizzati.

Molto vero, mi sono detto dopo aver riletto qualche pagina di quel libro. Poi ho dato un'occhiata alla mia scrivania, che oggi avevo deciso di mettere definitivamente a posto (prendo questo tipo di decisioni definitive diverse volte al mese), ho ricordato una celebre frase attribuita a Albert Einstein – «Se una scrivania in disordine è segno di una mente disordinata, di cosa è segno, allora, una scrivania vuota?» – e, di ottimo umore, me ne sono andato a passeggiare sul lungomare.

Il riassunto

L'aneddoto che segue è vero in tutto e per tutto. Come dire: parola per parola. Solo qualche particolare è stato modificato per rendere non riconoscibile il protagonista. Proseguendo nella lettura sarà agevole capire il perché.

Ti sei appena seduto davanti al computer. Devi scrivere perché hai preso l'impegno di tenere una relazione a un convegno (impegno di cui, come d'abitudine, ti sei ampiamente pentito) e, al solito, ti sei ridotto all'ultimo momento. Stai cercando, con poca convinzione, di mettere ordine negli appunti per tirarne fuori qualcosa quando il telefono squilla. Numero sconosciuto. Sarebbe una cosa intelligente non rispondere ai numeri sconosciuti.

– Pronto?

– Chi parla? – dice la voce maschile che arriva da chissà dove.

– Scusi, non vorrei apparire pignolo, ma è lei che ha chiamato.

– Che vuol dire?

– Vuol dire che è lei che mi ha cercato, dunque, in teoria, dovrebbe sapere chi sono. Al contrario io non so chi è lei.

Pausa carica di perplessità. Senza accorgertene devi avere espresso un concetto piuttosto arduo.

– Voglio parlare con Carofiglio, – dice infine la voce, che evidentemente appartiene a qualcuno che non ama i ragionamenti complessi.

– Lo sta già facendo. Invece io con chi sto parlando?

– Sono un giornalista di… – segue il nome della testata: non proprio un giornale di provincia, – e vorrei farle un'intervista sul suo ultimo libro.

Diciamolo con franchezza: dalle prime battute della telefonata il tizio non sembra l'erede di Montanelli o di Biagi. Però quando hai un libro appena uscito da promuovere tendi a non andare troppo per il sottile, a essere piú elastico negli standard di selezione delle interviste da rilasciare.

– Cosa aveva in mente?

– Le farei qualche domanda sul suo lavoro di magistrato e di scrittore e su quest'ultimo libro.

– Va bene.

– Però avrei un problema…

– Dica.

– Non ho letto il libro.

Ah, perfetto. È la condizione ideale per chi debba fare un'intervista di questo genere. Mai leggere un libro prima di parlarne, c'è addirittura il rischio di farsi un'opinione.

– Quand'è cosí, come pensava di procedere?

– Pensavo che potrebbe farmi una sintesi del romanzo e su questa base io potrei farle delle domande molto pertinenti, senza perdere troppo tempo a leggere.

– Giusto, giusto. Meglio non perdere troppo tempo a leggere. Intralcia il lavoro.

Fai una pausa per dargli il tempo di elaborare la

risposta, ma quello sembra del tutto impermeabile al sarcasmo. Perciò prosegui.

– E mi dica, preferisce che gliela faccia a voce, questa sintesi, oppure che le mandi una bella mail? Non so, una cosa come una relazione scritta? Si senta libero di scegliere la soluzione piú conveniente.

– Grazie, lei è molto gentile. In effetti un testo scritto mi semplificherebbe il compito.

Non rispondi subito. Pensi che in questi anni, da quando hai cominciato a scrivere romanzi, te ne sono capitate di tutti i colori e hai incontrato ogni tipo di personaggi bizzarri. Come quella volta che una ragazza, anche lei sedicente giornalista, ti chiese un'intervista per un sito erotico dai contenuti piuttosto espliciti. A quanto pareva il direttore (i siti erotici hanno un direttore?) aveva deciso di istituire una rubrica letteraria e a te era toccato il discutibile privilegio di essere il primo scrittore interpellato. La cosa era cosí assurda che eri stato addirittura tentato di accettare.

Questo tizio, però, è veramente fuori del comune, e il fatto che il tuo sarcasmo non sia riuscito nemmeno a scalfirlo – nemmeno a toccarlo – te lo rende quasi simpatico.

– Carofiglio?

– Scusi. Mi ero distratto.

– Allora quando me la manda la sintesi?

Volete sapere? Gliel'ho mandata davvero.

Rane

Lasciatemi fare una breve premessa zoologica. La rana è un animale a temperatura corporea variabile. Questo significa che la sua temperatura non è sempre la stessa, come per l'uomo e gli altri mammiferi, ma si adatta di volta in volta a quella dell'ambiente che la circonda.

Immaginiamo adesso di immergere una rana in una grande pentola piena di acqua fredda nella quale la bestiola si mette a nuotare tranquilla. Immaginiamo poi di essere inclini agli esperimenti crudeli e di accendere il fuoco sotto la pentola. L'acqua comincia piano piano a riscaldarsi, ma la rana continua a nuotare senza accorgersene perché il suo organismo adatta la temperatura interna a questo cambiamento esterno. Dopo qualche minuto l'acqua diventa tiepida, diciamo attorno ai trenta, trentacinque gradi; la rana però non si spaventa, anzi le piace il tepore del liquido che si trasferisce al suo corpo. Dunque si rilassa e si gode il bagno. Passano altri minuti e l'acqua diventa calda, attorno ai quaranta, quarantacinque gradi. Adesso la sensazione non è piú gradevole, ma nemmeno insopportabile. La bestiola continua a muoversi, anche se a fatica, perché lo sforzo per adattarsi a quella temperatura elevata la intorpidisce un po'.

Si sente a disagio, eppure non cerca di uscire dalla pentola, perché non percepisce un pericolo imminente. Si limita a sperare che questa situazione spiacevole passi.

Solo che non passa. La temperatura aumenta sempre di piú; la rana si indebolisce, non trova la forza di pensare a una soluzione, cerca ancora di adattarsi, ma è inutile, perché ormai l'acqua è troppo calda, cosí alla fine si ritrova a cuocere e a morire in modo orribile nel liquido bollente.

Immaginiamo adesso di accendere il fuoco sotto la pentola, di lasciar riscaldare l'acqua fino a cinquanta gradi e di metterci dentro la rana. Possiamo stare certi che appena toccata la superficie dell'acqua salterebbe fuori con un balzo e scapperebbe via il piú lontano possibile.

Mi auguro che un esperimento tanto barbaro non sia mai stato davvero messo in atto, ma questa storia è senz'altro una metafora potente e offre uno spunto di riflessione.

A molti di noi è capitato, almeno qualche volta nella vita, di interpretare il ruolo della rana, ritrovandoci intrappolati, senza capire come sia accaduto, in situazioni spiacevoli o addirittura incresciose, in rapporti – lavorativi o personali – inutili, dannosi, tossici. Questo è particolarmente vero in certe relazioni di coppia che cominciano in modo normale, mutano in maniera impercettibile giorno dopo giorno e finiscono con l'essere segnate dalla manipolazione, dall'abuso psicologico, dalla persecuzione e dalla violenza fisica, a volte estrema.

La capacità di adattarsi a persone e ambienti è una qualità importante. Consente di fare nuove esperienze, di apprendere cose nuove e nuove abilità, di instaurare relazioni equilibrate, tolleranti e creative.

Altrettanto importante è però la capacità di comprendere quando l'adattamento diventa sopportazione inutile e pericolosa. Altrettanto importante è sapere quando reagire all'abuso e quando sottrarsi alla persecuzione.

Bisogna essere capaci di saltare fuori dall'acqua che si riscalda finché se ne hanno ancora le forze, prima che sia troppo tardi.

Nelle Ardenne

L'onorificenza di «Giusto tra le nazioni» viene conferita dallo Yad Vashem – l'Ente nazionale per la memoria della Shoah dello Stato di Israele – ai non ebrei che durante il periodo dell'Olocausto rischiarono la vita per salvare gli ebrei.

L'unico soldato americano a ottenere questo riconoscimento è stato, nel 2015, il sergente maggiore Roddie Edmonds.

Questa è la sua storia.

Alla fine del 1944 le truppe alleate, che il 6 giugno erano sbarcate in Normandia, avanzavano trionfalmente alla riconquista dell'Europa. I comandi angloamericani erano convinti che la guerra si sarebbe conclusa entro l'anno.

Si sbagliavano. Il 16 dicembre l'esercito tedesco scatenò un attacco violentissimo e del tutto inatteso sulla linea del fronte fra Belgio e Lussemburgo. Cominciava cosí l'ultima grande battaglia della Seconda guerra mondiale: l'offensiva delle Ardenne.

Le forze angloamericane, prese di sorpresa, furono costrette ad arretrare per diversi giorni, subirono perdite durissime e lasciarono nelle mani dei tedeschi migliaia di prigionieri.

Fra questi c'era il sergente maggiore Edmonds con oltre mille uomini del suo contingente del quale facevano parte anche duecento ebrei.

La Wehrmacht aveva disposizioni molto precise sul trattamento dei prigionieri di guerra ebrei. L'ordine era di isolarli dalle altre truppe e avviarli in campi di prigionia separati; sul fronte orientale i soldati ebrei che prestavano servizio nell'esercito russo erano stati avviati direttamente nei campi di sterminio.

Alla fine del 1944 molti campi di concentramento e sterminio non funzionavano piú a pieno regime, ma i prigionieri ebrei venivano comunque trasferiti in campi di schiavitú, dove le condizioni di vita erano durissime e le possibilità di sopravvivenza molto basse.

Le truppe americane erano state ripetutamente avvertite dal loro comando: i soldati ebrei presi prigionieri sarebbero stati in gravissimo pericolo. Questi venivano dunque istruiti sulla necessità – in caso di cattura – di distruggere le loro piastrine di riconoscimento e ogni altro oggetto che in qualsiasi modo potesse identificarli, appunto, come ebrei.

Il comandante del centro di smistamento in cui erano stati condotti il sergente maggiore Roddie Edmonds e i suoi uomini convocò i prigionieri nel piazzale e, parlando in inglese, ordinò agli ebrei di farsi avanti. Edmonds, come gli altri, sapeva bene a cosa preludeva quell'ordine. Si rivolse ai suoi uomini e ordinò a tutti di fare un passo avanti.

– Qui siamo tutti ebrei, – disse poi rivolgendosi all'ufficiale nazista.

– Non è possibile che siate tutti ebrei, – urlò l'altro dopo essersi guardato intorno.

– Siamo tutti ebrei, qua, – ripeté Edmonds, fissandolo con sguardo di sfida. Il comandante del campo estrasse allora la sua pistola, mise il colpo in canna e la puntò alla testa del sergente maggiore. Gli disse che era la sua ultima possibilità di ordinare agli ebrei di farsi avanti, altrimenti gli avrebbe sparato. Edmonds rispose recitando il suo nome, il suo grado e il suo numero di matricola, secondo le prescrizioni della convenzione di Ginevra.

– Adesso la uccido, sergente maggiore, – disse il nazista.

Edmonds lo fissò ancora per qualche istante, prima di rispondere. – Se mi uccide, capitano, farà meglio a uccidere anche tutti gli altri miei compagni. Sappiamo chi è lei, sappiamo come si chiama. Farà meglio a ucciderci tutti perché, se non lo fa, verrà arrestato e processato per omicidio non appena avremo vinto questa guerra. Tutti quelli che lei non uccide saranno testimoni al suo processo.

Passarono alcuni secondi interminabili, con i due uomini che si fronteggiavano, il nazista con la pistola puntata alla testa dell'americano. Nel campo regnava un silenzio concreto e irreale. Alla fine l'ufficiale tedesco abbassò l'arma. Poi, con il tono rabbioso e impotente di chi è stato appena sconfitto, ordinò ai prigionieri di rientrare nelle loro baracche. I duecento soldati ebrei del reggimento di Edmonds erano salvi.

Stanze

Questo signore ha un'aria familiare. Mi ricorda molto qualcuno, però non riesco a mettere a fuoco chi. Parliamo di musica, di pittura, di libri. Si comporta come se desse per scontato che ci conosciamo bene. Un atteggiamento che mi confonde, ma mi fa anche piacere. A un certo punto – non so come siamo arrivati a parlare di questi argomenti – mi dice una cosa che mi colpisce piú delle altre. Secondo lui è possibile imparare ad agire nei sogni notturni come nella vita reale, decidendo consapevolmente le proprie azioni, ma senza limiti fisici. Io manifesto un cortese scetticismo. Lui non se la prende.

– Hai mai fatto un sogno lucido? – mi domanda.

– Cosa intendi per «sogno lucido»?

– Un sogno in cui eri consapevole di stare sognando.

– Be', sí. Qualche volta mi è capitato.

– E in quei sogni riuscivi a decidere cosa fare?

– In effetti sí, – rispondo dopo averci pensato e dopo aver ricordato alcuni, rari sogni in cui mi era parso di avere il controllo di quanto accadeva.

– Bene. Infatti capita a tutti una volta o l'altra. In modo abbastanza casuale. Però è possibile *imparare* a farlo.

– Cioè?

– Nei sogni si possono fare, a comando, cose incredibili. Cose che hai sempre desiderato e che nel mondo reale sono impossibili. Volare, per esempio. Nuotare sott'acqua come pesci. Incontrare persone care scomparse.

Di regola, se qualcuno ti fa un discorso del genere, pensi che sia matto e lo tratti come tale. Lui però sembra sapere di cosa sta parlando e, insomma, non mi viene proprio di trattarlo da matto.

– E come ci si riesce? – gli chiedo.

– Prima di tutto devi diventare consapevole della veglia e del sogno.

– In pratica?

– In pratica devi prendere l'abitudine di chiederti se sei sveglio o se stai sognando. Se ci provi un numero sufficiente di volte, se, appunto, diventa un'abitudine, a un certo momento ti accorgerai che lo stai chiedendo durante un sogno. Quello è il momento in cui, se riesci a non svegliarti, puoi fare quello che vuoi.

– Devo solo chiedermi se sogno o sono sveglio?

– Non proprio. Devi ripetere ogni volta una specie di test. Cose come contare le dita delle mani e vedere se sono dieci, allora verosimilmente sei sveglio, o undici o dodici, allora verosimilmente stai sognando. Oppure provare a far passare un dito attraverso il palmo dell'altra mano. Questo in sogno è possibile, da svegli è un po' difficile.

– Non sono sicuro di avere capito.

– Hai ragione, non era chiarissimo. Proviamo con un esempio pratico. Alza un braccio.

Io alzo il braccio. – E allora?

– Questo è un gesto normale, che puoi fare quando sei sveglio. Adesso salta.

Io salto, a piedi uniti, e, lo ammetto, mi compiaccio un po' con me stesso per la scioltezza e la leggerezza. Da tanto tempo non mi riusciva di saltare con una tale facilità.

– Mi dirai: anche questo si può fare da svegli. È vero. Ma c'è una cosa che da svegli non si può fare.

– E qual è?

– Quello che stai facendo tu.

– Cioè? – ma mentre gli rivolgo la domanda mi rendo conto. E in quello stesso momento lo riconosco.

– Sei papà? – gli dico.

Lui mi sorride. Ha piú o meno la mia età, forse è perfino un po' piú giovane. Forse per questo non l'ho riconosciuto subito. Forse.

– Te ne sei accorto? – mi chiede.

Sí, me ne sono accorto.

Dopo aver saltato non sono ricaduto a terra.

– Sono contento di vederti. Ho un sacco di cose da raccontarti, – gli dico, mentre fluttuo a qualche decina di centimetri dal suolo.

– Anch'io, – risponde lui, sorridendo.

– Com'era quella frase? Aiutami a ricordarla.

– La morte non è niente. Io sono solo andato nella stanza accanto.

Nota al testo.

La poesia *Vivere è stare svegli* a p. 22 è tratta da A. M. Ripellino, *Poesie. 1952-1978*, Einaudi, Torino 1990.

La citazione a p. 76 è tratta da J. Keats, *Lettere sulla poesia*, a cura di N. Fusini, Mondadori, Milano 2005.

Indice

Passeggeri notturni

p. 5 Quarto potere
8 Draghi
11 Aria del tempo
14 Calligrafia
17 Articolo 29
20 Un addio
23 Confessioni 1
26 Confessioni 2
29 Il biglietto
32 Tahiti
35 Pezzi grossi
38 Sinceramente
41 Canestri
44 Stanlio e Ollio
47 La scorta
50 Mario bis
53 Poliziotto buono
56 Contagio
59 Binari
62 La riduzione delle tasse

p. 65 Avvocati
68 Profezie
71 Tutta la verità
74 Epitaffio
77 Tranelli
80 Scrivanie vuote
83 Il riassunto
86 Rane
89 Nelle Ardenne
92 Stanze

95 *Nota al testo*

Questo libro è stampato su carta contenente fibre certificate FSC®
e con fibre provenienti da altre fonti controllate.

Stampato per conto della Casa editrice Einaudi
presso ELCOGRAF S.p.A. - Stabilimento di Cles (Tn)
nel mese di marzo 2016

C.L. 22934

Edizione	Anno
1 2 3 4 5 6 7	2016 2017 2018 2019